「学び」を「お金」に変える技術

Method of changing "learning" into "money"

井上裕之

Hiroyuki Inoue

かんき出版

いまの現実は、
まぎれもなく
自分がまいた
種によるものです。

――39頁

潜在意識を
活用するかどうか、
すべての鍵は
ここにあるのです。

――36頁

書棚はイコール私自身。
私が選び、読んできた本は
いまや私自身となっている。

――168頁

成果がほしいなら
意識を変える学びを
しなければいけません。

――29頁

借金もせず成功するなど
不可能といってよいくらいです。

――108頁

答えは
自分の中に
あるのです。

——55頁

できないこと、
したくないことには、
はっきり「NO」を
いわなければいけないのです。

——73頁

今後、頼れるのは自分の力だけです。
学びで自己を研鑽し、人間力を育てた人は
どんな時代にも価値を失うことはありません。

——214頁

最終的には
人間理解のための
勉強に行き着きます。

——27頁

自分を磨いていれば、
必要な人とは自然に
出会うようになると
確信しています。

——141頁

はじめに

学びへの投資を回収できる人、できない人

あなたは自分の現状に満足していますか？　それとも、不満・不足だらけでしょうか。

その両者を分けるのは、一日一日、もっといえば一瞬一瞬の過ごし方です。

人は本来、それほど大きな差をもって生まれるわけではありません。「生まれつき頭がいい」とか「悪い」とかいっても、それほど大した違いはないのです。

ＩＱで差がつくのはせいぜい受験勉強まで。それで人生が決まってしまうほど、社会は甘くはありません。素晴らしい学歴をもっているけれど、いまはパッとしない。そんな人は世間にはいくらでもいます。

では、人生を確実に成功に導くものはなんなのでしょうか。

それは「学び」、「勉強」です。

「人の価値は努力の量によって決まる」

若田光一（宇宙飛行士）

これは、若田光一さんの言葉です。

私もそう思っています。もっとわかりやすくいえば、

「人生の価値、人生の成否は学びの質と量によって決まる」のです。

ここでいう「学び」とは大人になってからの勉強です。社会人として、仕事をする人間として、何をどのくらい学んでいるか。人生はそこで差がつくのです。

学びには、資格取得もあれば、語学などを身につけることもあります。ただし、それだけでは人生の価値を最大化することはできません。

自分の人生の価値を最大化する学びとは、人としての意識や生きていく姿勢、仕事に向かう意欲やモチベーションを高め、磨いていくための努力をいいます。わかりやすくいえば、**学びによって人間力を高めていくことを意味しています。**

学びによって意識が変われば、行動が変わります。

人生は行動の結果です。行動によって、人生の成功を達成する。

具体的にいえば、自分らしく、のびのびとやりたいことに取り組めるだけのお金や社

会的な立場を手に入れることをいいます。

私はこれまで、そうした学びのために、相当の時間とエネルギー、お金を費やしてきました。投じたお金をトータルすればざっと1億円以上になるでしょう。

さらに学びつづけ、勉強の連続です。これまでも、そして今後もその姿勢は変えませんし、変わることはないでしょう。いまも、ぜひ参加したいと思うセミナーや講演会にはどんどん出かけていきます。それが、東京で行われるものだろうとニューヨークで開かれるものだろうと。私は北海道の帯広で歯科医院を開業しているので、セミナーへはほとんど飛行機を利用しての参加になります。

この本を手にとったあなたも、きっと日々、学びをつづけている方だと思います。

問題は、その学びがきちんと成果に結びついているかどうか、です。

私は、正しく前向きに学んでいれば、必ず成果に結びつく。具体的には収入が上がり、社会的に存在感が認められる、そうした結果がついてくると確信しています。

実際、私の収入は、積極的に学びはじめてから、すごい勢いで増えつづけています。

そして、かなりのお金を稼げるようになったことが次への自己投資を可能にして、その投資が新たなリターンを生む。そのリターンを再び投資して……という好循環が形成されています。しかも、その好循環はさらに加速しています。

これこそが学びの素晴らしさです。これが実現できなければ、「学んだところで意味はない」といい切っていいくらいです。

勉強はしているけれど、収入アップを実現できない人は、学びが足りないか、**学びをお金に結びつけようとする意識**が希薄なのです。

せっかく学ぶのに、なぜ、その実りを手に入れようと望まないのでしょう。

私は、お金のことはもっと真剣に考えるべきだと考えています。

もちろん、勉強の成果は収入アップだけではかるべきだと考えているわけではありません。しかし、人間関係や仕事、趣味の充実、そして心豊かに生きることなど、収入アップはあらゆる面、あらゆる場で満足感を高めてくれます。

私は、積極的に勉強をはじめてから人間関係が驚くほど広がり、以前には願ってもお目にかかれなかったような方とも親しくお付き合いできるようになっています。

何よりも毎日が心地よく、心の底から充実していると感じられます。これ以上のしあわせはありません。収入アップはその好循環の一つにすぎません。

「名ばかりの成功者になるよりも、真の価値ある人間になれるよう努力しなさい」

アルベルト・アインシュタイン（物理学者・1879〜1955）

読者の方々にも、勉強によって収入アップを実現し、幸福感に満たされた人生を歩んでいっていただきたいと願っています。

真の価値ある人間を社会は放ってはおきません。社会が認知する。すると、確実に大きな収入への道につながります。

ようやく学生生活から解放され、社会人になったのにまた勉強か、とうんざりした顔をする人もいるかもしれません。

でも、本当の学びはとても楽しいもの。**確実に成果をあげられる勉強法の第1のポイントは勉強を楽しむこと**、なのです。

「継続は力なり」という言葉があるように、勉強はつづけていかなければ成果は望めません。ところが人は誰でもつらいこと、苦しいことは大嫌い。楽しいことでなければ、長くつづけることはできないのです。

「勉強は楽しい」「楽しく勉強する」

これができるのが社会に出てからの学びの特権です。

社会に出てからの学びは自分で選び、自主的にやればいいからです。やりたくないなら、やらなければいいのです。誰の迷惑にもなりません。ただ、自分がはかりしれない損をするだけです。

その結果、望んでいたことがどんどん実現されるようになり、人生は思うまま、願うままになっていきます。

楽しみながらの勉強は潜在意識を動かします。

こうなればシメた！　もの。もっと年収を増やしたい。1億円の年収がほしいという願いも、気がつくと手が届くものになっています。いまの私がそうであるように。

この本では、私は、潜在意識を動かし、好循環を生み出す勉強法について、私自身の体験をベースに書いていこうと思っています。

そのうち1つでも2つでも「これは！」と思ったことを参考にしていただき、あなたの人生が、学びの喜びと勉強したことのリターンにより、好循環をたどるようになっていけば、著者としてこれ以上の喜びはありません。

2012年9月

井上裕之

「学び」を「お金」に変える技術　目次

第2章 時間は無限大化できる

学びの時間はこうして生み出す

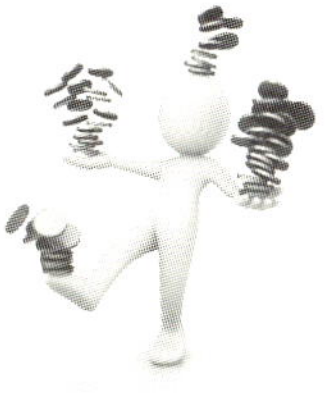

第3章 「学び」の成果を〝お金〟に結びつける

まず投資。リターンはそこから生まれる

第4章 学びと類友の法則

よくも悪くも、人間関係は引き付け合う

第5章

1億円プレイヤーへの習慣術

毎日の習慣こそ、成功者に近づく道

第6章

1億円プレイヤーになる それは、明日かもしれない

一日一日、豊かさに近づいていく

カバーデザイン／井上新八
本文デザイン／佐藤千恵
帯写真／アマナイメージズ
素材提供 ©raven - Fotolia.com, ©Air0ne - Fotolia.com

第1章

人生、すべての問題は「学び」で解決できる

学びで運命を
開いていく

この世の法則を知っているか、知らないか

世の中には豊かな人と貧しい人がいる。これは厳然とした事実です。

豊かな人は、ほしいものがなんでも手に入るばかりか、素晴らしい出会いにも恵まれ、センスのいい大邸宅や超高層マンションに住み、心地よい日々を送っているので、気持ちはさらに豊かになっていきます。豊かな人の人生には限界などないように、その可能性も幸福も無限大に拡大していきます。

一方、貧しい人の人生の多くは、豊かな人とは真逆の軌跡を描きます。

こうして両者の差は広がる一方。1点の共通項さえないように思われます。

豊かな人も貧しい人も、生きているのは同じこの世界です。同じ空間で、同じ法則性にしたがって生きているのです。

その法則とは何か？

現実は常に、自分の思いが実現されたものだという法則です。

人間は自分が考えたとおりの人間になる

アール・ナイチンゲール（アメリカの哲学者・1921〜1990）

まさか、貧しくなりたいと思うわけないじゃないかと反論する人もいるでしょう。

では、お尋ねします。

「親も豊かではなかった。自分には大した才能もない。そんな自分が豊かになんかなれるわけはない」

そう思ったことはないでしょうか。

そう思っている以上、あなたの人生が豊かになることはありません。あなたが思い描いているように、豊かになどなるわけもなく、住宅ローンと子どもの教育費に追われるだけの一生を送ることになるでしょう。

豊かになりたい、豊かな人生を送りたいなら、豊かな思い、豊かな夢、豊かな人生計画をのびやかに、おおらかに描いて生きていくことが大事なのです。

年収1億円を引き寄せるには

1 この世に働く法則を理解する

この世には2つの法則があります。

一つは、この世で起こることはすべてその人の思いが反映されたもの。その人の思いが現実化したものだという法則です。

もう一つは、どんな人も例外なく、無限の可能性を与えられているという法則です。

お金もこの世のものであり、この法則にしたがって動いています。

お金がほしいなら、ほしいと思うことです。なんの迷いも疑いもなく、お金がほしいと真剣に思う。これが豊かになる第一歩です。

もう一つの無限の法則。お金に対してこの法則もちゃんと働いています。どれだけほしがってもいいということです。お金がほしいという気持ちに限界を設ける必要はないのです。年収を1000万円にしたい。もう少し欲張ってもいいなら、2000万円あったら、どんなにいいかと思う、などと遠慮する必要はありません。

1億円ほしいなら、年収を1億円にしようと望めばいいのです。

この**2つの法則をきちんと働かせるには「学び」が必要です。**

1億円プレイヤーになる勉強法とは？

ものごころつくかつかないかのころから「勉強」をはじめ、受験勉強、資格取得の勉強……とこれまでの人生、勉強にかなりの時間とエネルギーを注ぎ込んできたという人は多いはずです。とくに「勉強法」というタイトルがついた、たとえばこの本を手にした人は、社会人になっても学びつづけている、志の高い人だと思います。

そうした学びを積み上げていっても、なかなか望む結果には到達しないのが現実です。

たとえば知り合いのある金融マンは、ファイナンシャルプランナーの資格を取得し、その結果、顧客の資産アドバイザーになったそうです。収入もアップしました。といっても上乗せされたのは月額2万円程度。必ずしも、満足できる金額とはいえないでしょう。

大人の勉強というと、まず資格取得や語学を身につけることを思い浮かべる人が多いのではないでしょうか。こうした勉強にも大きな価値があることは事実です。でも、こうした資格だけで、物心ともに豊かな暮らしが手に入るでしょうか。私は、むずかしいと思っています。いまや、弁護士や医者など、富裕なイメージがある職につくための資

格をとっても、それだけで豊かな暮らしが保障されるというほど甘いものではなくなっています。

そう言い切れるのは、私自身が歯科医師であるからです。

かつては、歯科医師は豊かになれる職業の一つだといわれていました。ところが最近は、競争が激しいうえ、歯科医療がハイレベル化していることから、高額な機械を次々と導入しなければならず、内情は苦しいところが少なくないのが実情です。

そうした中で、私は、思いどおりに仕事を広げ、収入も満足できるものを手にしています。その大きな理由は、私の「学び」にあると確信しています。

年収1億円を引き寄せるには

2

収入アップ実現の鍵は「学び」

学びのある1日は、学びのない人生の長い歳月にも勝る

キューバの格言

手はじめは自分の専門分野の勉強から

「自分をもっと引き上げたい。そのためには何を勉強したらいいでしょうか」

セミナーなどで、よくこんな質問を受けることがあります。

「人それぞれでしょう」とか、「それは、ご自身で決めるべきことでしょう」とお答えしたいところですが、それではきっと途方にくれるに違いありません。

じつは、1億円プレイヤーになるための特別な勉強法などないのです。

どんな領域でも、その領域のトップクラスに登りつめれば、豊かさもついてきます。

つまり、何を勉強しても誠心誠意、学びつづけていけば道は自然に高みに向かっていくのです。

「学び」の最初の手がかりとしては、いま、自分がやっていること、具体的にいえば、いまの仕事について、あるいはその関連領域の勉強からはじめるのがいちばん妥当なところでしょう。いまの仕事についてならある程度わかっているので、何から学んでいけばいいか、めどがつきやすいからです。

私もはじめは、医師としてのスキルアップのための勉強にひたすらエネルギーを注ぎました。大学が6年。それから大学院に進学。歯学系の大学院は4年という既定の年限で卒業することはむずかしく、当時7年ほどかかるのが普通でした。しかし、私は「規定が4年なのだから、4年で卒業しよう」と決意し、モーレツに勉強して、最短の4年で博士課程を修了し、歯学博士のタイトルを手にしました。

30代のはじめに開業すると、治療技術だけでは医院経営はできないと気づき、次は、経営についての各種セミナーに積極的に参加。経営やビジネスならばアメリカが本場だと思い、アメリカの大学で、経営学博士号も取得しました。

その後しばらくは、歯科治療の最新技術の勉強と、経営学に関する勉強にエネルギーを注いでいましたが、30代半ばのある日、運命に導かれるようにして、自己啓発系の学びに出会ったのです。それまで書店の自己啓発系の売り場には足を向けたこともなかった私ですが、ある日、見えない大きな意志に導かれるように、自己啓発系の本を手にしていました。いまでもなぜ、その日、そこに足を向けたのかわかりません。

このとき手にしたのが、忘れもしない、ナポレオン・ヒルの『思考は現実化する』（きこ書房）でした。その日から、私の本当の学びがはじまったのです。

年収1億円を引き寄せるには
3 人間力を高める勉強をする

このように「学び」は、最終的には人間理解のための勉強に行き着きます。どの領域の勉強からはじめても同じです。あるベテラン編集者によると、どの領域でもトップを極めた人は例外なく実にいい人だそうです。

「人間性にすぐれた人でなければトップに登りつめることはできないのか、トップに登りつめる過程で人間性が練磨されるのか。たぶん、双方向なのでしょうね」

私も同感です。

すべての道はローマに通ず

ジャン・ド・ラ・フォンテーヌ（フランスの詩人・1621〜1695）

どんな道も最終的には、人間性を理解し、人間性を高める学びにつながっていきます。

気がつくと、私も人間性を磨きあげる勉強が学びの中心になっていました。

成果を出すための意識を変える学び

『思考は現実化する』を夢中になって読破すると、ごく自然な流れで、私は、東京で開かれているナポレオン・ヒルのセミナーに参加申し込みをしていました。それから今日まで、いったいどのくらいのプログラムを学んだか、数えきれないほどです。

「ジグ・ジグラー・プログラム」「デール・カーネギーズ・ヒューマン・モティベーション・システムズ」「マクスウェル・マルツ・プログラム」「ブライアン・トレーシー・トータル・マネジメント・プログラム」「ジョセフ・マーフィー・ゴールデンプログラム」……。

自己啓発系のセミナーに次々参加すると同時に、目についた資料や教材をどんどん購入しました。当時の私は、砂漠にいくら水をまいても瞬時に吸収されてしまうように、いくら学んでも、どんなに教材を読み、次々講演を聞いても満足することを知らず、もっともっと、と学びつづけていたものでした。

こうした「学び」の明け暮れを何年も何年もつづけ、ついに、学びの真髄にふれることができたのです。

スキルやテクニックの勉強は、学びの枝葉のようなものです。それが無意味だ、というつもりはありません。でも、それだけで成果を引き寄せることは不可能です。

学びで成果を引き寄せる。成果とはなんでしょう。お金をより多く稼げるようになることは、いちばんわかりやすい指標でしょう。

成果がほしいなら、お金を稼ぎたいなら、意識を変える学びをしなければいけないのです。能力開発の数々のセミナーは、私に、学びの根本原則というべき、意識を変えることの重要性を気づかせてくれました。

はた目には、それまでの私とそれからの私に大きな違いが生じたとは見えなかったでしょう。北海道に住む私は、以前もしょっちゅう東京や海外に出かけていき、歯科技術の勉強や経営学の勉強にかなりのエネルギーを注いでいました。自己啓発系のセミナーに通う姿が、それと大差なく映ったのは当然です。でも、私は**それまでとは本質的に変わり、自己変革を遂げていました。**

4 自己啓発の「学び」で自己変革をする

意識が変わると行動が変わる

はじめて参加した「ナポレオン・ヒル」のセミナーは衝撃的でした。

それまで懸命に学んできた経営学セミナーでは、どちらかというと現実的な、すぐに明日からでも役立つ知識やノウハウを学ぶのに対して、このセミナーでは「意識を変えること」、「強く意識すること」の重要性を学ぶのです。

もっと衝撃だったのは、そこで出会った人たちです。それまでの経営学セミナーで出会った人たちと何かが根本的に違う。意識がまるで違うのです。

それぞれ仕事の領域は違うのですが、放っている雰囲気には共通点がありました。何ごとにも意欲的、行動的です。セミナーの第一日目から、はじめて出会った人と熱く語り合う。その話題もよくある世間話やありきたりの社交談義ではなく、いま、セミナーで学んだことをどう行動化するか、どう生かしていくかという話で盛り上がるのです。

会場全体に熱いエネルギーが渦巻いていて、私はたちまちそのエネルギーに同調し、気がつくと、ずっと以前からの知り合いであったように、参加者たちの話に溶け込み、私自身も熱く語っていました。

そのたった1日で、私の意識は根底から変わったのです。

意識が変わると行動が変わってきます。私はそれまで以上に勉強に邁進するようになり、その結果は目に見えて実っていくことが実感できるようになったのです。

私は人の考えを知りたいときには、その人の行動を見ることにした

ジョン・ロック（イギリスの哲学者・1632～1704）

最近はインターネットで勉強をする機会も充実しています。でも、学びの最初はぜひ、実際に講師が話をし、会場にその話を聞きにきた人がいるリアルなセミナーを受講する

ことをおすすめします。

すでに意識が変わった人と場を共有し、空気感に同調することで、自分の意識がたちまちその人たちのレベルまで引き上げられていくからです。

意識が変われば、自然に行動も変わります。
行動が変われば現実も変わります。

年収1億円を引き寄せるには

5 何よりも意識・行動を変える

人間としてのステージを上げていく

私の意識もそれまでとはすっかり変わりました。

それまでの私の学びは、歯科医としてのスキル、経営者としての知識や経営手法を磨き、いのうえ歯科医院を繁栄させることを第一義とするものだったのです。

社会人となってもなお、勉強をつづけている人の多くがそうであるように、知識を増やし、技を磨く。それが学びだと思い込んでいたのです。

誤解のないように念のために書きくわえると、当時も、もっと儲かるようにとか、採算効率がよくなるようにというようなお金第一の発想はなぜか、まったくありませんでした。

開業にあたり多少の借金もありましたが、返済は順調に進んでおり、経営上の気がかりは皆無。開業した以上、安定的に経営したい。さらに医院をより発展させていきたいという経営者なら誰でももつ当たり前のビジョンを描いており、経営の勉強は、そのビジョン達成のために必須だと考えていたのです。

ところが、自己啓発系の学びをはじめると、そうした思い以上に、自分自身を高めたい、スタッフの人間性も高めていきたい。そのうえで、歯科医療を通して、人の役に立ちたい、社会に貢献したいという思いが強く、大きくなっていったのです。

こうした変化により医院のあり方も質的に変化していきました。もちろん、歯科の治療をするのですが、「この医院に来るとなんだかしあわせな気持ちになる」とか、「先生やスタッフに会うのが楽しみだ」といってくださる患者さんが増えていったのです。

前にも書いたように、私の医院は北海道の帯広にあります。いわば地方の一歯科医院にすぎないのに、いまでは全国から、さらには海外から、はるばる来院してくださる患者さんが増えています。一般的にはほとんどありえないことです。

経営状態も、医院経営が厳しさにさらされる現況の中で、増収増益をつづけています。

人間力を向上させる学びをはじめてから私の意識が変わり、スタッフの意識も深いところで変わった。その結果、医院の質が変わり、望んだとおりの成果が上がるという好循環が形成されたのです。その好循環は現在、さらにスケールアップしています。

6 意識の変革で、好循環を引き寄せる

潜在意識の存在を知る

それまでも私は、何回となく、願ったことが、まるで木の実が熟すように、自然にかなうという体験をしたことがありました。

「きっと運がよいのだろう」

あるとき、占い師に「めったにないほどの強運をもって生まれついた」といわれたことが頭のどこかにあって、私は単純にそう考えていたものです。

そんなある日、私はジョセフ・マーフィーと出会ったのです。

それまでも、自己啓発系の勉強を多く重ねてきていました。マーフィーはそうした自己啓発系の「学び」の原点になる教えです。

人の意識は二重構造になっていて、通常、私たちが「意識」と感じているものは「顕在意識」。そのほかに、人がその存在を感じることができない「潜在意識」がある。このことを発見したのは精神分析で知られるフロイトで、これは人類史上最大の発見といわれています。

ジョセフ・マーフィーは、潜在意識の働き方に法則性があることを見出し、その活用法を教えた人です。マーフィーは100年ほど前にアメリカで生まれ、教会の牧師として多くの人の相談にのるうちに、人の悩みの解決や願望の達成にはある原理が働いていることを見出しました。潜在意識はどんな思いも、それが真摯なものであるならば、必ず思いどおりに実現するのです。

この潜在意識の無限の力を活用するかどうか。すべての鍵は、ここにあるのです。

潜在意識については拙著『わたしの人生に奇跡を起こした　マーフィー100の言葉』（きこ書房）に詳しく書いてあるので、よろしければご参照ください。

宇宙は無限の可能性に満ちています。この無限の可能性の場は量子力学によって、解き明かされています。潜在意識は、その無限の可能性を自分のものとして引き寄せ、生かす回路なのです。それまで、能力開発や意識改革について相当の学びを積み上げていたからでしょう。マーフィーのセミナーを受講したとき、私は瞬時に潜在意識の存在を確信し、その無限の力を信じることができました。

勝ち組の共通項などを説くセミナーを開いておられる南部恵治さんが以前、成功している現役社長たちに聞いたところ、実に9割の社長さんはマーフィーをよく読んでいたそうです。反対に、倒産した社長さんたちではマーフィーを読んだこともない人が半数以上だった……。

私自身もマーフィーと出会い、マーフィーの教えどおりに、どんな場合も、どんなことにも潜在意識を活用するようになってから、成功の実感が拡大の一途をたどっています。

頭で思うのではなく、全存在で、自分の本質を感じ取る
こうしたとき、
潜在意識の存在が確信できるはずです

ジョセフ・マーフィー（アメリカの自己啓発家・1898～1981）

原因と結果の法則はすべてにあてはまる

「何一つ、思いどおりになんかなったことがないんです。とことんツキに見放されているんです」。

こんなふうに、開き直ってしまっている人は少なくありません。

でも、思いどおりになっていない人など、この世にはいないのです。目の前の現実はすべてその人の思いが実現されたものなのです。

宇宙の3つの法則のひとつ、それが「原因と結果の法則」です。

この世で起こることはどんなことも原因があり、その原因がいまの結果をつくっている。これが宇宙の3つの法則のひとつです。

その原因をつくっているのはその人自身。あらゆる意味で、人生はまぎれもなく、その人自身のものなのです。他人に影響を与えることはできても、他人の人生を変えたり、運命を変えることは誰にもできません。

自分の人生ならば、奇跡を起こすことさえできます。現に私は、自分自身の思いで、奇跡を起こした経験をもっています。

ガーデニングをしたことがあるならば、赤いサルビアの種をまけば赤いサルビアが咲き、白いコスモスの種をまけば、白いコスモスが咲くことを経験しているでしょう。ガーデニングや畑仕事では、ほしい結果をもたらす種をまきます。赤い花を咲かせたいなら、赤い花の種を、白い花を咲かせたいなら、白い花の種を。

いま咲いている花、目の前の結果は、以前、まいた種によるものです。

これほど明解なことはありません。人生も同じです。

いまの現実は、まぎれもなく、自分がまいた種によるものです。

「まかぬ種からははえない」のです。まいた種以外のものが現実化することはあり得ません。

「原因と結果の法則」は、すべてにあてはまる真理です。

年収1億円を引き寄せるには

8 ほしい結果の種だけをまく

成功のための「学び」とは何か？

私がこの本で示したいのは、人生を成功させるための「学び」についてです。

勉強や研究を仕事にしている学者や研究者は別として、大人になってからの勉強はこれに尽きます。

もちろん、仕事のスキルを磨くこと、最新の技術を身につける努力も怠ってはいけません。現在は高速回転時代。1年前、いえ、半年前の知識はもう古くなってしまっています。どの世界でもそうなっています。グローバライゼーションの結果、英語でコミュニケーションができることは、いまや当たり前に求められるスキルです。

つまり、常に、仕事の専門性を最新のものにしておくこと、日本語、英語のコミュニケーション能力を磨くことは日常的に求められている努力であって、あらためて学びというものではないというべきでしょう。そうした努力は仕事の一部というべきもの、私はそう位置づけています。

社会を支える一員となったいま、必要なのは自分を確実に高めていくための学びです。その第一歩として、まず、この宇宙がどのような法則にのっとって動いているのかを学びましょう。

宇宙の法則性を学ぶのです。

・人には誰にも無限の可能性が与えられている。

・その無限の可能性を引き出す回路は潜在意識である。

・現実は自らの思いがもたらした結果である。

この3つの法則を完全に理解し、自分自身の一部と化すまで、しっかり学ぶのです。

これらは宇宙にあまねく行きわたっている法則ですから、これまでも、それと意識することなく体験し、あるいは感じ取ったことがあるでしょう。学びとは、なんとなく感じ取っていたこれらの法則を、まず、たしかな知識とし、次に知識の次元を超えて、あなた自身の人間性と同調させていくことをいいます。

学びによって宇宙の法則性がしっかりと身につくと、あとは〝成功するしかない〟としか表現できないほど自然な流れで、あなたは成功者への道を歩み出していきます。

具体的にいえば、仕事のスキルを勉強することも少しも苦にならず、それどころか、

勉強が楽しくてたまらなくなっていきます。こうなればエスカレーターに乗ったようなもので、とくに何もしなくても日々、向上していくことができるようになります。

これが、成功のための学びの真骨頂です。

マーフィーによる潜在意識の活用や「原因と結果の法則」を学んでいるうちに気づいたのですが、私は以前から、とくに意識していたわけではなかったのですが、ある程度、宇宙の法則にのっとって生きてきたように思います。

若いころから、ものごとがうまくいかないとか、いまやっていることがムダだというようなネガティブな思いをもったことがほとんどなかったのです。自分が成長していると実感できることが好きだったので、スキルの勉強もいつも楽しんでやっていました。知らず知らずのうちにいい種をまいてきていたようで、たいてい上々の結果を得てきました。

学びによって宇宙の法則や潜在意識についてたしかに知ったいまは、努力することがさらに楽しく、充実して感じられるようになっています。この限りない充実感は、人間性の成長のための学びが私に与えてくれた、最高の収穫だと思っています。

9 人間性を磨く「学び」をする

法則の活用法を間違ってはいけない

世界は現在、経済混乱の渦中にあります。リーマンショック以上の世界恐慌が襲ってくる予感もひたひたと迫り、多くの人が先が見えない不安におちいり、かつてないほどひっそくした気持ちで暮らしています。

そうした中で、**私の視線がとらえているのは、いまよりさらに発展していき、いまよりもさらに豊かになっている未来の自分像だけ**です。そこには一点の不安も疑いもありません。

「先生は恵まれていらっしゃるから」。よく、こういわれることがあります。

比較的恵まれた環境に生まれ育ち、これまでお金に関して深刻な悩みや強い執着をもったことがないのは事実です。

とはいえ、独立してからは、生まれた環境は関係ありません。開業後の発展、経済的な成功は私自身が引き寄せたものだといい切れると自負しています。

何一つ不自由のない環境に生まれ、日本最高峰といわれる大学を出て、何もかも恵まれていたはずの人が転落の人生を歩んでしまったことが、大きく報道されたことがあります。

人の人生はなぜこれほどに明暗が分かれてしまうのでしょうか。

宇宙の法則を学ぶと、その明確な答えが見えてきます。

同じように勉強をし、同じように努力をしても、結果が真逆に分かれてしまうのは、宇宙の法則に逆らっているからなのです。

法則に合った勉強法、思考法を知っていれば、願ったとおりの結果が手に入ります。手に入らないならば、勉強法、思考法が法則に合っていないから。理由はそこに尽きます。はっきりいいましょう。**法則性や潜在意識を知らないで学んでいることは非常に危険です。**成果が上がらないだけではない。願っていること、それに向かって努力しているはずの方向とは、正反対の結果が出てしまうことが多いのです。

たとえば、先行き不安だ。何か資格を取っておかないと将来展望が真っ暗闇だ。そう思いながら資格取得の勉強をしていると、資格は取れるかもしれませんが、資格を取ってもなんの展望も開けない。真っ暗闇の日がつづいていくだけという結果になるのです。
潜在意識について勉強したことがある人ならば、その理由はもうおわかりでしょう。
潜在意識はどんな場合も届けられた思いをそのまま実現します。この人は勉強している間も、「将来が不安だ」とか「お先、真っ暗だ」という思いを潜在意識に届けていたのです。

人は誰でも無限の可能性をもっています。潜在意識はその可能性を開く鍵なのです。

これは、間違いなく、すべての人に働いている宇宙の法則です。しかし、潜在意識の無限の可能性はマイナス方向にも当てはまるのです。どんなに恵まれた環境に生まれても、どんなに努力しても、潜在意識に間違った思いを入れると、無限の可能性がマイナス方向に働き、どこまでも転落していきます。

1億円プレイヤーをめざすならば、マーフィーを学び、潜在意識について完璧に理解することが必要です。そして、潜在意識の法則を正しく活用してください。

富は豊かな人間に引き寄せられる

潜在意識によい思い、きれいな思いを入れるとよい結果が引き寄せられる。反対に、潜在意識に悪い思い、ネガティブな思いを入れると悪い結果が引き寄せられる。

この世の中に働く法則や潜在意識の活用法を学ぶと、こうしたことがしっかり理解できるようになります。同じように勉強していてもそれまでとは意識が変わり、願ったとおりの成果、収穫に自然に向かっていくのです。

お金は社会における一つの力です。お金がすべてだとはいいませんが、お金はたいていの問題を解決してくれます。ですから、**学びの成果の1つとして、豊かになること、具体的には1億円の年収を望むことは間違いでも、強欲でもありません。**

宇宙の法則に見合った正しい方法で願えば、その願いは必ずかなえられます。潜在意識が働き、願いが現実化するのは、いますぐの場合もあれば、長い時間がかかることもあり、いついつまでにと断言できないことが多いのですが、でも、必ず叶います。

年収1億円を引き寄せるには
11
まず、人間として豊かになる

1億円プレイヤーになりたいならば、いつも心を豊かに保ち、豊かさによる喜びだけを思うことです。

豊かな人生よりは
豊かな人間になりなさい
なぜなら、豊かな人間こそが
豊かな人生を築きあげるからです

夏目志郎（ブライアン・トレーシーを日本に紹介した事業家）

この言葉にあるように、人間性を高め、豊かな人間になれば、豊かな人生が実現します。

どんな仕事も学びで天職に育てる

1億円プレイヤーをめざす。そのために、いま、どんな仕事をしているかは大した問題ではありません。**大事なのは、どんな思いで仕事をしているかです。**

「これこそ自分の天職だ」と確信できるぐらいいまの仕事が好きで、のめり込んでいるかどうか。それが大事なのです。

さんざん就活した結果、ようやく内定をもらったからいまの仕事をしているだけで、天職とはほど遠い。そういう思いでいるのなら、どんなに勉強し、努力しても、多少スキルを磨くことができる程度で、現在の年収がわずかずつ上がっていく。いちばんよいケースでもこの程度で終わるでしょう。

まず、天職につくことです。いまさら転職はムリだ。いまの仕事をやめたら、就職先を見つけることさえむずかしいかもしれない。そうかもしれません。それならば、いまの仕事を天職にしてしまえばいいじゃないですか。

私自身、歯科医こそ天職だと思えるようになったのは、歯科医になった後のことです。最初から、歯科医こそ天職だと思って歯科大学に進んだのではなく、目の前のいくつかの可能性から、加点法、消去法、さまざま考えた末に選んだ進路でした。

それが、いつの間に天職と感じられるようになったのか。おそらく、夢中になって勉強しつづけているうちにです。

「自分で選んだ道なのだから」。はじめのうちは、そんな気持ちで誰にも負けないくらい、勉強したものです。そのうちに、人に貢献できる医療の世界にどんどん引き込まれていき、気がつくと、歯科医を天職だと思うようになっていたのです。

こうした経験から、私は、**天職は誰かに与えられるものではなく、自分で天職に育てていくもの**だと考えるようになりました。

営業なら営業に必要とされるスキルや心構えをまず、徹底的に勉強してみることです。サービス業ならば、ディズニーランドのサービスマインドとか、リッツ・カールトンのクレドなど、勉強しようという気持ちさえあれば、学ぶ場も教材もいくらでもあります。

自分の仕事の世界の奥深さを知ると、どこまでもそれを探求してみたくなっていくはずです。未知の領域には、はかりしれないほどすごい引力があるのです。

素晴らしい仕事をするには、自分のやっていることを好きにならなくてはいけない
まだそれを見つけていないのなら探すのをやめてはいけない

スティーブ・ジョブズ（アメリカの実業家・1955～2011）

学びの効果には、いまの仕事を天職にまで高めてくれる可能性が潜んでいるのです。

年収1億円を引き寄せるには

12 天職だと感じるまで学ぶ

セミナーは最高の学びの場

スクールに通う。通信教育。インターネットによる学習。スカイプなどテレビ電話によるマン・ツー・マン学習。マルチメディア時代ですから勉強方法もマルチです。

どの学習法にもそれぞれメリット・デメリットがあります。

だから、どれを選ぶかはお好きにどうぞ、といいたいところですが、さまざまな形で学んだ経験からいえば、**大人の勉強法としていちばんのおすすめはセミナー参加**。私はそう確信しています。

スクールは人数が多すぎるので個が埋没してしまい、講師との接点も希薄になりがちです。

通信教育やテレビ電話などはどれもノンヒューマン。リアルな接触ではないことから、リアルな人間関係は期待できません。

セミナーは数人〜十数人という規模が多く、この規模だと講師とも、一緒に学ぶ人とも距離が近く、一体感で結ばれるので、一気に親しくなれるのです。

〝人間〟というくらいで、人は人と人の間、すなわち、人とのかかわり合いによって、刺激を受けたり、背中を押されたりする生き物です。セミナーに行くと、実にいろんな人と出会い、刺激的です。

留学経験もあるようなバリバリの人もいれば、OLと一くくりにされるポジションから抜けだしたいと懸命にキャリアを磨いているアラフォー女性もいる。そうかと思えば、そろそろ定年？　と思うような人にも出会う、という具合に。でも、そのセミナーのテーマに興味をもったという思いは共通しています。

そこで得る刺激や情報はその後の学びを進める最高の道標になり、私自身、価値ある人としての歩みを進めています。

私は年間100日ぐらい各種のセミナーに参加してきましたが、どのセミナーでも、「来てよかった」と心から満足できるだけのものを得ました。

年収1億円を引き寄せるには

13 セミナーから刺激を受ける

何を学ぶか？　答えは自分の中に！

「どのセミナーに参加するとよいでしょうか」
「おすすめのセミナーはありますか」

講演をしたり、ブログで私の学びについてお話しした日などは、こうしたお尋ねがとくに多く寄せられます。

そういうときには、私なりにおすすめしたいセミナーを具体的にお答えしていますが、最も正確な答えは、「自分が行きたいと直感したセミナーがいちばんですよ」です。

私の経験からいうと、スキルやテクニックの勉強でも資格取得の勉強でも、**積極的に勉強していると、勉強の磁場とでもいうような場が発達してきて、自分にとって最上の「学び」を引き付けるようになってくる**のです。

前にも書いたように、私の「学び」も最初は歯科医としての技術を高めたい、歯科に関する最新の情報にふれたいという思いからスタートしました。「一度しかない人生なのだから、失敗はしたくない」もっといえば「成功したい」「勝者になりたい」という

強い思いがあったのです。

いまは、医師だからといって、それだけで豊かな生活が保障される時代ではありません。とくに歯科医は全国的に乱立ぎみで、どこでも熾烈な競争にさらされています。医院を開業すると、そこから先は医師であるだけではなく、経営者としての才覚が求められます。でも、医科大学では経営を学んでいません。病院勤務中も治療技術を磨き、経験を積むことはあっても、経営者として学ぶ機会は皆無。当然、経営経験も積めません。そのまま漫然と経営していても、繁盛させられるかどうかはあやしいのです。

そこで、私は医師として医学の知識や技術の研鑽に励む一方で、経営者としての知識や発想法を学ぶべきだと考えたのです。30代前半、目標の一つだった開業を果たすと、経営学を身につけるために国内外の経営セミナーに次々参加するようになったのはこうした思いからだったのです。

前述したように、アメリカの博士課程コースに進み、経営学博士号も取得しました。歯学博士と経営学博士号の2つを取得している人は日本ではおそらく私ぐらい。世界でもまれだと思います。

そして、これもすでに述べたように、経営の勉強をしているうちに、ある日突然、自己啓発系の学びとの出会いがもたらされたのです。

30代半ばごろ、交通事故にあい、家族が長い入院生活を送ったことがありました。平日は仕事に明け暮れ、週末には片道3時間、車を運転して家族が入院する病院に通う、そんな日々を過ごしていたときのことです。ある日、書店に入ったところ、気がつくと、それまで足を向けたことはなかった自己啓発書のコーナーに立っており、目の前にあった1冊の本に手を伸ばしていました。

それが、前にもふれた、私と自己啓発系の「学び」の出会いをもたらしてくれた『思考は現実化する』です。この本に、ナポレオン・ヒルのセミナーの紹介があり、私は、長いこと求めていたのはこれだった！　とほとんど瞬時に確信していました。

それから、世界中の成功哲学を学ぶようになっていき、現在に至っています。

どんなセミナーがいいか。なんのセミナーを受講すべきか。

私の経験が教えているように、**答えは自分の中にあるのです。**資格の勉強でも、語学の勉強でも懸命に学んでいくと、しだいに学びの感度が鍛えられていくのでしょう。

少し学びだすと、関心がそちらに向くことから、それまで見逃していた雑誌やインター

ネットの広告、一度参加したセミナー主催者からのDMなど、セミナーの情報はいくらでも手に入るようになります。

その中からどれを選ぶか。自分がちゃんと教えてくれるのです。

私の場合でいえば、いろいろなセミナー情報を並べてみていると、必ず、ほかのセミナーより強い発信力をもつものに気づきます。

潜在意識の働きの中に、自分が求めているものを引き寄せる、引き寄せの法則があります。同じ方向性、同じレベルのエネルギーが同調し合うことから起こるのでしょう。

常に学びについての思いを充実させていると、しだいにその思いが積み重なり、充満し、閾値《いきち》を超える。その瞬間に、自分にとって本当に必要なものを引き付けてくる。私はそんな実感をもっています。

数ある情報の中で、なぜか心惹かれるセミナーとか本は、自分が潜在的に求めていたもの、あるいは求めていたものに強くつながっているものです。

ベストアンサーは、常に自分の中にあります。

年収1億円を引き寄せるには

14

潜在意識がベストな答えを教えてくれる、と知る

努力はしてはいけない

北海道・東京を時には日帰りで往復し、年間１００日以上ものセミナーに参加し、耳にはいつもイヤフォンを差し込んで学習教材のＤＶＤを聴いている。そんな私を見て、「先生ほどの努力家はいない」という人がいます。じつは、こういわれることには多少の違和感、抵抗感を感じています。

努力家といわれる人はたいてい、はた目にも「がんばっているなあ」とわかるような努力をしています。こうした努力には、「本当は遊んでいたいのに、勉強しなくちゃならないから勉強している」とか、「これだけがんばっていれば人も認めてくれるだろう」というような気持ちがいくぶんかは含まれているのではないでしょうか。

潜在意識の活用法についてはすでに少しお話ししましたが、潜在意識に悪いものを入れてはいけないのです。

歯をくいしばってがんばる。したいことも我慢して努力する。こういう努力は、本心の思いとは裏腹なので、実を結ばないどころか、表面的な思いとは１８０度、異なる結

果が出てしまいます。

だから、**苦しい努力、つらい努力はしないほうがいい。いえ、してはいけない！　のです。**

私が常に勉強をしているのは学ぶことが好きだから。楽しくてしかたがないから。勉強しているときがしあわせで、心の奥底から充足感が湧き上がってくるからです。

だから、普通イメージするような苦しい努力はしませんし、したいことを我慢して勉強することもありません。その意味では、「努力」は一切していません。

「したいから勉強している」「楽しいから学んでいる」ので、苦労や我慢、つらい努力とはまったく無縁です。

私はこれまで、相当の時間を勉強に注いできていますが、自分のやりたくないことは一度だってしたことがありません。

一つのセミナーを受講すると、次はあのプログラムを勉強してみたい。それが終わると次はあれ……とほとんど切れ目なく勉強しつづけていた時期もありました。いま思い出しても、あれほど充実していたことはなかったといい切れます。

苦しいどころか楽しくてしかたがなかった！

北海道から東京に通う遠距離参加なのに、どのセミナーもほとんど皆勤賞だったのも、学ぶことが楽しくて楽しくてしかたがなかったからです。

学んでいる時間は充実感と深い満足感、自分がどんどん高められていっているという心地よい高揚感がありました。この完全なまでの満足感が私を満たしていたからこそ、学んだことがどんどん潜在意識に刻み込まれていったのでしょう。

人生を楽しんでいる人に失敗者はいない

ウィリアム・フェザー（アメリカの作家・1889〜1981）

自分はどうなりたいのか。どうしたいのか。本心に素直にしたがって行動していれば、ひたすら楽しく充実していて、つらくも苦しくもありません。

そして、こうした楽しく充実した「学び」だけが、成功や勝利を引き寄せ、望んでいた結果を実現するのです。

第2章

時間は無限大化できる

学びの時間はこうして生み出す

人生を制する時間管理7つの法則

「時間を制するものは人生を制する」といいます。

時間を効率的に、濃密に使いこなしている人は日ごろから意識が高く、時間がない、時間が足りないなどとはいいません。

日ごろのちょっとした行動にも意識の高さがにじみ出ていて、ムダがなく、それでいて余裕も感じられます。時間管理がたくみで、時間を100%、生かしきっているからです。

次の7つを守ると、「時間管理」のスキルは高水準にアップグレードできます。

❶ 優先順位を決める。

❷ 新しいことをはじめるときは、現在、行っているものの一部を捨てる。

❸ できないこと、苦手なことはムリしてしない。

❹したいことだけをする。本当にしたくないことは断る。
❺取り組むときは、真剣に、集中して行う。
❻スキ間時間をムダにしない。どんな小さな時間でも活用する。
❼常に本気で生きる。明日はないという気持ちで取り組む。

❶優先順位を決める。

現在、私にとって最も大事なものは、仕事と学びです。いつも仕事と学びを優先順位のトップにおいています。何を判断するにしてもこの優先順位を基準にしているので、どんな場合も迷いが生じることがありません。

たとえば、東京のセミナーで知り合った友人から、「明後日、東京で会員限定の素晴らしいセミナーがあるんです。前から井上さんをお誘いしようと思っていたのですが、ビジネスで海外に行っていてお誘いするタイミングを逸してしまいました。そんなわけで急に声をかけることになってしまいましたが、ぜひ、お出かけになりませんか。絶対

におすすめのセミナーですよ」とお誘いを受けたとします。こんなときは、その場で「お誘い、ありがとうございます。ぜひ、伺います」と返事をしてしまいます。

翌日は大忙しになります。明後日の予定までこなさなければなりません。もう、返事をしてしまったのですから、「ムリかなあ」とか「こなせなかったらどうしよう」などといっている余裕はありません。

すると、1日で2日分の予定がちゃんと消化できるものです。いままで、この方法で、明後日の予定に支障をきたしたことはありません。もちろん、明後日の予定の中には、どなたかと会う約束があることもあり、延期するには先方に了解をいただかなければなりません。でも、事前に連絡すれば、ほとんどの約束は先に延ばしてもらえます。

そして、翌日は晴れ晴れとした気分で東京でセミナーを受講しているというわけです。迷わずにことを進めると、誘ってくれた相手にもとても好印象を与えます。何よりも自分のモチベーションが高まり、そのため、潜在意識が高いレベルで働くので、セミナーの内容をあますことなく脳細胞にインプットできる実感があります。ですから、いつも帰途は、「やっぱり行ってよかった」と深い満足感にひたっています。

優先順位は人生のステージにより、変わってくるはずです。**30代では仕事の勉強から人**

間性の学びへと軸足を移し、40代は人間性の学びを最優先順位におくとよいと思います。

学んでいるうちに、優先順位が変わっていくこともあるでしょう。たとえば、私は最近、学ぶことよりも、セミナー講師として、あるいは講演をするなど人に教える機会も増えてきています。

人に教えることは最大の学びだといわれます。現在、私は日々、それを実感しています。その意味からも、最近は、講演やセミナー講師の時間を優先順位の最上位におくようになっています。**優先順位の変化は仕事や学びが進化した結果だといえるでしょう。**

その日、その日が1年の最善の日である

ラルフ・エマーソン（アメリカの思想家・1803〜1882）

常に最優先順位の行動を選択していれば、どの1日も最善・最高の1日になります。

年収1億円を引き寄せるには

16 優先順位を決めて学ぶ

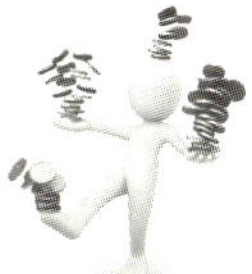

❷ 新しいことをはじめるときは、現在、行っているものの一部を捨てる。

人の欲望には際限がなく、つい、あれもこれも手に入れたいと望みたくなるものですが、**「二兎を追うものは一兎も得ず」**の言葉どおり、自分の欲望を整理しきれない人は、あれもこれも失うことになるのがオチです。

私は勉強と仕事にエネルギーのすべてを惜しみなく注ぐために、遊ぶことを捨てました。

私の年代の多くの人は夜はお酒を飲み、休日はゴルフ、夏休みや冬休みには家族と海外旅行を楽しむというように遊びの時間を大いに楽しんでいるのではないでしょうか。

医師仲間の会合に行ったときなど、ゴルフのハンディが上がったとか、家族で中南米の海をクルージングしたというような話をよく耳にします。

私も遊ぶことはけっして嫌いではありません。ゴルフの腕も磨きたいし、海外で芸術や文化にふれる時間をもちたいと思うこともあります。

でも、あれもこれもでは結果的にすべてが実らないことがわかっていますから、いまは勉強と仕事に集中しようと決めています。

遊ぶことを捨てたと書くと、楽しみの少ない毎日を送っているのだなと誤解を受けそうですが、私にとっては学びが楽しくてしかたがないので、遊びもほしいという気持ちは起こりません。

体を鍛えることは大好きなので、最近はジムでのトレーニングのほかに、ピラティスをやっています。一人でできることならば相手と時間調整をする必要がなく、好きなように時間を使うことができる。これもジムやピラティスに熱中する理由です。

> **心の楽しみは良薬なり**
>
> 旧約聖書

こうしていつも楽しく過ごしているので、心身ともにすごく健康です。

年収1億円を引き寄せるには

17 両手をいっぱいにしない

❸ できないこと、苦手なことはムリしてしない。

知り合いがパソコントラブルで振りまわされ、2日も棒に振ってしまったと嘆いていました。日ごろ賢明なことで知られる人なのに、なぜ、そんなことで時間を費やすのか理解できませんでしたが、ご本人は大格闘の末、トラブルを解決したとご満悦の様子。その気持ちを汲んで、「それは大変でしたね。パソコントラブルは消耗しますものね」と言葉をかけたのですが、内心は「もっと賢明な方かと思っていたんですよ」といいたい思いでいっぱいでした。

私は、**人にやってもらえることはどんどんアウトソーシングしてしまいます。私でなければできないことに時間を使いたいからです。**

パソコンの管理は、パソコンのシステム管理会社に任せています。何かトラブルが起こったら、電話一本かければOKです。

論文や本の原稿などは草稿を書くと、清書や入力はアルバイトや翻訳のプロに任せます。自分でできないことはありませんが、その時間を新たな課題に向けるほうがずっと生産的だと思うからです。

苦手なことをがんばろうとイライラしたり、歯をくいしばってクリアしようとするなんてナンセンスです。自分よりそれが得意な人はたくさんいます。

苦手なことはそれが得意な人に任せることです。

アウトソーシングすればそれなりのコストはかかります。

では、自分でやれば、その分を節約できたことになるでしょうか。

一見、そう見えますが、そのために費やした時間は二度と返ってこないことを思えば、損失のほうが大きいとはいえないでしょうか。

「一期一会」という言葉もあるように、この日、この一瞬の時間は人生でたった一度しか巡ってこないのです。時間はそれほど貴重なのです。その時間をつぶさないですむなら、多少のコストはかえって安上がり。時間をお金に換算することはできません。

また、苦手を克服するよりも得意なことを伸ばすほうが、より大きな成果に結びつきやすいもの。この点からも、苦手なことに時間を費やすのは得策とはいえません。

❹ したいことだけをする。本当にしたくないことは断る。

たしかに相当忙しい毎日を送っているという自覚はありますが、それがストレスになることもなければ、よくいわれるように、忙しいとは心を失うことだというようなむなしさにとらわれたこともありません。なぜかといえば、私はいつも、自分が本当にしたいことだけをしているからでしょう。

多くの人がなぜ、「したくないことをして」人生を過ごすことができるのか。そのほうが理解できません。

私は、将来の人生を決める、具体的には高校から大学に進学するときから、自分は何をしたいのか。どんな人生を生きていきたいかを真剣に考えました。

歯科医になるという選択をしたのはそうした熟慮のうえです。親が医師であったわけではなく、次男だったので、親の仕事を継ぐという選択肢は考えませんでした。

目の前にあったのはまっさらな将来。自由に自分の人生を描いていけばよいといえば響きがいいですが、実際は何もかもゼロからの出発です。

18年前に開業した私の医院は中央から遠く離れた帯広にあるのに、いまでは私の治療を求めて海外から来院される患者さんもあるほどの評判を得ています。

先日、「ＩＳＯ　０９００１」と「ＩＳＯ　１４００１」の取得も完了しました。

「ＩＳＯ　０９００１」は製品やサービスを作り出すプロセス、医療機関でいえば、患者さんの要求に対して高い満足感を得られる医療サービスを継続的に供給するためのシステムを備えているかどうか、などを国際的な登録機関によって審査され、認可される認証です。

「ＩＳＯ　１４００１」は環境マネジメントに関する規格審査です。組織の活動が環境におよぼす影響を最小限に食いとめるためにつくられた規格に適合しているかどうかを審査されます。その結果、認証取得できたことは、環境に配慮して活動している、社会的責任をきちんと果たしている組織だと認められたことを意味しています。

「ＩＳＯ　０９００１」「ＩＳＯ　１４００１」の取得は大きな企業でも専門家のアドバイスを受けながら、何年もかかって取り組むほどの課題です。

私の医院でも、取得の構想から実際に認証されるまで、10年以上の歳月を要しました。おそらく、私の医院の規模で、しかも歯科で「ISO 9001」「ISO 14001」を取得したのは世界でも例が少ないと思います。

取得にはさまざまな文書を用意することからはじまり、膨大な作業が必要でした。とくに実際の審査に入った半年間は本当に大変でした。それなりの経費もかかりました。が、それを苦に思ったことはありません。ISO取得はどうしても「やりたい」ことだったからです。

やりたいことであればどんなに大変であっても楽しく努力でき、結果が出れば、さらにこのうえない喜びも味わうことができます。

やりたいことをやる一方、したくないことには「NO」ということも大事です。

歯科医としては大学関係者が見学にくるほどの手術や治療を行い、大学で教え、年に何冊もの本を書き、講演会も相当数こなしている……。

よく、「先生はなぜ、そんなにたくさんのことができるのですか」とお尋ねを受けます。

私も体は一つです。一度に2つの場所には行かれません。じつは、しょっちゅう「NO」をいっているのです。**できないこと、したくないことにはむしろ、はっきり「NO」をいわなければいけないのです。**

気持ちよく断ることは、半ば、贈り物をすることである

フリードリッヒ・ブーテルヴェク（ドイツの哲学者）

「NO」は拒絶ではなく、ただ単に選択の結果を告げることで、失礼でも申し訳ないことでもないと考えましょう。

年収1億円を引き寄せるには

19

やりたい・やりたくないを明確にする

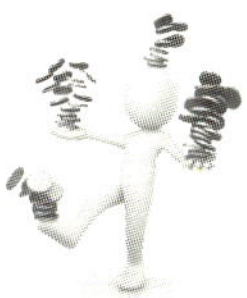

❺ 取り組むときは、真剣に、集中して行う。

毎日何時間も勉強に割く。大人になってこんなことができる人を私はあまり評価していません。勉強だけをしていればよかった学生時代と違って、社会人ならば普通は仕事をもっています。家族のために、時間をとられることもあります。

ただ時間をかければいい、そんな勉強のしかたは大人の勉強法とはいえません。

大人の勉強法は、勉強するときには真剣に、ものすごく集中して取り組むことです。

こうすることにより時間が濃密になり、短時間でも、長い時間をかけたとき以上の成果に結びつけることができるのです。

「パレートの法則」を勉強にも応用しましょう。

「パレートの法則」は、イタリアの社会経済学者ヴィルフレド・パレート（1848～1923）が見出したもので、別名「80対20の法則」とも呼ばれます。

集中度を高めれば、それまでの20％の時間でも、それまでの80％の成果を生み出せるのです。**集中により勉強効率を4倍にアップできる**わけです。

私は、いつもたくさんのことを並行して進めていますが、実際に取り組むときは何か一つに絞り込み、最大限集中します。

一晩にこれとこれをやるというように、複数の勉強や仕事をすることが多いのですが、時間をちゃんと決めて、その時間は一つのことに全神経と全エネルギーを注ぐのです。一つの作業が終わったら、コーヒーを飲むなど小休憩をとって、気持ちをスイッチします。

これもけっこう大事なこと。脳にも句読点は必要です。

たとえば、かなりのスピードで原稿を書き進めることができるのは、こうして最大限集中しているからだと思っています。

❻ スキ間時間をムダにしない。どんな小さな時間でも活用する。

予定の時間まであと5分ある。こんなとき、「5分しかないから……」ともう何もしようとしない人。「あと5分ある」といって、一つでも二つでも小さな用事をする人。その差はしだいにふくれ上がり、一生では大きな差になります。

1分あれば電話ができるし、3分あればちょっとしたメールを打てます。5分あれば新聞に目を通すことができるし、15分あれば多少まとまった仕事もできます。

こうしたちょっとした時間、スキ間の時間をどう生かすか。ここでも人と差をつけることができるのです。

私は医院にいるときには、朝、スタッフを前にちょっとしたスピーチをします。朝礼は、その日の予定やとくに伝えるべきこと、日ごろからの心構えの復唱などを含めて20分。私のスピーチは長くても15分あるかないか。この15分でも、かなりの思いを伝えることができるものです。

アナウンサーは1分間に300文字程度の原稿を読むそうです。改行も含めて原稿用紙で1枚程度。テレビ朝日の深夜番組「朝まで生テレビ！」は長時間の討論番組というイメージがありますが、出演者が多いこともあり、一人が話す時間は7〜8分程度だそうです。

「あと5分」というようなこま切れ時間、スキ間時間は1日に何回もあるでしょう。仮に1日に6回あるとすれば、1日に30分もの、新たに活用できる時間が見出せることになります。1年間ならなんと182時間半。スキ間時間を軽んじてはいけません。

短き人生は、時間の浪費によっていっそう短くなる

サミュエル・ジョンソン（イギリスの文学者・1709〜1784）

この言葉は、時間を大事に使えば、人生を長くすることができるとも解釈できるでしょう。私は、たとえば、約束の場所で人を待つというような時間も、直前の1秒まで有効

に使いきっています。

直前までメールを打ったり、本を読んだりしているわけではありません。そうではなく、たとえば、東京での常宿にしているホテルのロビーは高層階にあり、目の前はレインボーブリッジ。その光景を眺めて、心にさわやかな風を吹き込ませたりするのです。

これも時間活用の一端です。

大事なのは意識。時間活用においてもそのルールは変わりません。

年収1億円を引き寄せるには

21 時間を意識的に使う

❼ 常に本気で生きる。明日はないという気持ちで取り組む。

昨日と今日に大きな違いがなかったように、今日と大きな差がない明日が訪れる。多くの人はそう考えています。

とりわけ20代、30代ならばそう考え、さらに人生は無限であるという錯覚にさえ陥っているかもしれません。人生80年時代、40代でさえも、ようやく折り返し点に立ったところだと考える人が多いでしょう。

私は違います。

20代、30代、40代とそれぞれやるべきことを設定し、人生をきっちり構築していくためには、それぞれの年代でやるべきことをしっかりやっていかなければいけないと、誰よりも強く意識し、そのように努力してきました。

エジプトのピラミッドを見た人は、イメージとは大きく隔たっていることに目からウロコの思いをするでしょう。写真では四角錐の稜線はきれいな直線に見えますが、目の前のピラミッドは壮大な階段状の構造物です。一気に頂点に達することはありえません。基盤をつくり、その上に一段積み上げ、それができたらさらに一段……。デコボコの稜線は、壮大な建造物は一段一段、汗とともに石を積み上げて、はじめて完成することを伝えています。

人生も同じです。**10代、20代、30代……と各段階でやるべきことをきちんと果たし、一段階ずつ積み上げていかなければ、高い頂点に到達することはありえません。**

私の年齢で、開業してから20年に満たない時間でここまで大きな成果を得られたのは、運がよかったからではなく、一歩一歩戦略どおり、計画どおりに私が進めてきたからです。緻密な計画と、それを実現するための真剣な努力。それを怠らずに実行してきた結果が、今日の私の姿です。

年収1億円を引き寄せるには

22 明日はない。常に真剣勝負

同時に、私は30代のある日、大きな交通事故にあい、家族が九死に一生を得るという体験をし、今日と同じ明日が訪れるという保証は誰にもありえないことを痛烈に思い知らされました。

その日から、「明日はない」かもしれない。常にそう思い、行動するようになっています。

これは、悲壮感とか無常観とは本質的に異なります。

人生が、たとえ今日で終わっても、やりきったという満足感を得られる。そんな生き方をしようと、心に決めているのです。

一刻一刻を、もっといえば一瞬一瞬を充実させて生きています。

「いつか」ではなく「いま」との大きな差

先日、高校時代の同窓会に参加しました。そろそろ50代が迫っている年代ですから、みな、いいおじさん。卒業から30年近くがたったいま、社会的ステータス、収入ともに驚くほどの差が出てきています。その差がどこで生まれるのか。どこで差がつくのか。はっきりいえるのは、学生時代の成績はほとんどアテにならないということです。

その差を生むのは、行動力だと私は考えています。

誰でも向上したいという気持ちをもっています。やりたいこともいっぱいあるはずです。そんな思いを抱いていながらも、多くの人は、「いつか……やりたい」という言葉で終わってしまうのです。

同窓会に集まった仲間の中にも、おじさんという言葉とは無縁のナイスミドルもいます。洋服の外からでも鍛えぬいていることがわかるムダのない体型。どんなに忙しくても、自分で決めたトレーニングメニューはしっかりこなしているからではないでしょうか。

勉強も同じだと思います。**「いつか……やりたい」ではなく、「いま、やろう」**。

そして、日々、やろうと決めたことはしっかりやる、それができる人。

それをつづけている人が40代、50代になったとき、学生時代、成績が優秀だった人をはるかに超えて、大きな成功を手にしているのです。

〝いつか〟という言葉で考えれば失敗する 〝いま〟という言葉を使って行動すれば成功する

ベンジャミン・フランクリン（アメリカの政治家、科学者・1706〜1790）

年収1億円を引き寄せるには

23 いつかではなく、いま

セミナーは最優先順位で参加する

今月は、ドラッカーのトップマネジメントセミナーに病院経営のセミナー、それに……というように、私のスケジュール表には毎月、必ず、いくつかのセミナーの予定が書き込まれています。

すでに書いたように、大学院を卒業してから、毎年、年間１００日以上、セミナーに参加してきました。いまでも毎年、セミナーに参加しています。

仕事は本当に忙しい。

それなのに、なぜ、セミナーに日数を割けるのか。

理由はシンプルです。

私は基本的に、セミナーを優先順位のトップにおいて考えるようにしているのです。

時間がとれたら勉強をはじめよう。セミナーに参加しよう。でも、いまは忙しいから。今月はもう予定がいっぱいだから。こういって、勉強したい気持ちはあるのに、勉強することを先延ばしにする。

これでは、いつまでたっても、勉強はできません。

私は、「行きたい」「参加してみたい」と強く心を揺さぶられたセミナーは〝何をおいても参加する〟と決めています。

すべての予定の最優先順位に置いているのです。

最優先順位に置くというのは、仕事を放りだすとか、すでに入っているアポイントメントを無視することではありません。

最優先順位で発想する。つまり、「どうしても参加したい」と考えると、次は「では、どうすれば参加できるか」と考えるようになり、たとえば、仕事を替わってもらうとか、アポを延期してもらうなど、道は開けていくものなのです。

学びの時間の優先順位を高めておいたほうがよいのは、誰でも、仕事を最優先に考えるものだからです。あえて学びの優先順位を高めておかないと、結果的には、仕事、仕事、仕事、と仕事一色の毎日になってしまいます。

年収1億円を引き寄せるには

24 あえて学びを最優先する

時間を2倍、3倍に増やす

1日は24時間。時間は誰にでも平等に与えられている、というのは勝手な思い込みにすぎません。

時間にも質と量があります。量とは1日24時間という長さ。これは誰にとっても平等でしょう。では、時間の質は？

時間の質は、いくらでも付加価値をつけていくことができるのです。

何人ものスタッフを使っていると、同じことをするのにかかる時間には想像以上の個人差があることに気づきます。たとえば、100人分のカルテの整理をするのにAさんは1時間ですませるのに対して、Bさんは2時間かかる。この場合、Bさんの時間のクオリティはAさんの2倍ということになります。逆に考えれば、普通かかる時間の半分、あるいはそれ以下ですませる方法を身につければ、時間価値は2倍、あるいはそれ以上になる。1日を48時間以上にすることができるというわけです。

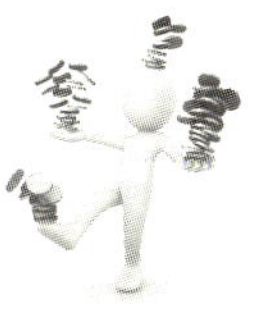

君、時というものは、それぞれの人間によって、それぞれの速さで走るものだよ

ウィリアム・シェイクスピア（イギリスの劇作家・1564〜1616）

時間は「自分で作り出すもの」だと考えるだけで、時間はみな平等だという思い込みのタガがはずれ、時間のシバリから解き放たれるのを感じるでしょう。

私が、人一倍、学びや仕事をこなしながら、多忙感がほとんどないのは、時間にしばられるという発想をもたないと決めているからだと思います。

25 時間価値は変えられる

速読・速聴でスピードを数倍に

イヤフォンをして、手元では、たとえばデスクの整理など、脳をあまり使わない作業をしている。これが私の読書スタイルです。

10年以上前に、**「速聴」をマスターしてから、〝読書〟はほとんどすべて速聴で行っています。**視覚や聴覚は訓練すれば相当速く働くようになる。これは多くの脳学者により、認められている事実です。

読書のスピードアップ法としては速読法がよく知られています。

先日、テレビで速読の紹介をしていましたが、新書1冊ならば15分、要点だけを読むなら2、3分しかかからないというのですから、驚きました。こんな技術があるのに、身につけないなんてもったいないと思いませんか。

アメリカの大学やビジネススクールでは、日本の大学生なら腰を抜かしてしまうほど大量のホームワークが課されます。毎週、分厚いテキストブックやサブテキストを何冊

※「速聴」は株式会社エス・エス・アイおよび関連会社の登録商標です。

も何冊も読み、レポートを提出しなければ単位が取れないのです。
私も経営の論文を書く際に、毎日、膨大な量の過去や現在の論文、資料を短時間で読むことが日課でした。お陰である程度速読もできますが、私は聴覚刺激の感受性のほうが得意なタイプ。覚えなければならないものも、目で追いかけるよりも耳で聴いたほうが記憶効率がよいのです。

速聴のトレーニングは超高速スピードで音声を繰り返し聴いて行います。はじめのうちは高速で再生すると、キュルキュルと小動物が鳴いているようにしか聞こえません。ところが、そのうち耳が馴れてくると、ある日、はっきりと聞き取れるようになるのです。その瞬間は、「わかった！」と飛び上がりそうなくらい、すごい感動でした。

次に行ったのは、読みたい本を音読し、録音してしまうことでした。最初は自分で読んだりしていたのですが、同じ聴くならプロの声、プロの読み方のほうがずっと耳に心地よい。そこでいままではプロのアナウンサーに朗読してもらい、ＣＤ化して速聴しています。

プロのアナウンサーに朗読を頼むのですから、それなりのコストは必要です。でも、こうすることによって、私の時間価値はさらに高まるのです。本を速く読めるだけでなく、移動時間を学びの時間に変えることもできます。それを考えれば、朗読コストはけっして高いとは思いません。

飛行機や新幹線に乗っている時間はいうまでもなく、寝るときまで速聴をしています。

録音ＯＫというセミナーは必ず録音し、速聴します。速聴ならば、どのような環境でも、セミナーの復習もばっちり、という芸当だってできるのです。

速聴には脳を刺激し、頭の回転をよくしたり、ヤル気を引き出す効果もあるといいます。本の内容にあまり意識を向けず、ゆったりと脳をくつろがせながら速聴すると、無意識レベルに導かれ、そこで過飽和入力が行われ、潜在意識に朗読の内容が刻み込まれます。この結果、本の内容は私自身の一部として取り込まれ、いつでも活用できるようになります。

アメリカでは大統領府勤務になると、まず速読法を仕込まれるのだそうです。連日、

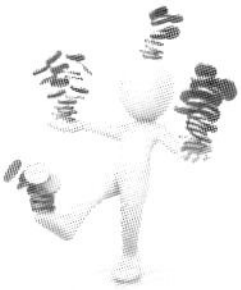

膨大な書類に目を通さなければならないことから、普通のスピードでトロトロ読んでいたのでは間に合わないからです。

年収1億円を引き寄せるには 26

速読・速聴で時間価値を高める

いのうえ歯科医院では、スタッフの新人に速聴でCDを聴かせています。新人が入ってくるといくつかの研修を行いますが、その中に速聴での学びも組み込まれているのです。

それまで知らなかった**速聴と出会い、自分の能力が目に見えて向上することを知ると、新人スタッフの意欲や意識ががらりと変わります。**人には潜在意識があり、潜在意識に働きかけることにより、可能性が開かれていくことを、100の言葉を費やすよりもたしかに理解するのです。

ここまでくると、もう私が何もいわなくても意欲的に学びを進めるようになっていきます。気がつくと、すっかり学びの習慣を身につけ、潜在意識の活用もはじめています。

速聴は一石二鳥の効果をもたらしてくれます。

時間効率を高める日常の工夫

1日にどのくらいテレビを見ていますか？

ＮＨＫ放送文化研究所の「２０１０年国民生活時間調査」によると、1日のテレビ視聴時間は平日平均で3時間28分。最近、テレビ離れが進んでいるといわれているにもかかわらずです。新聞は19分、雑誌・本は13分。テレビは圧倒的で、メディアの王様の座は不動です。

逆に考えれば、テレビによって貴重な時間を3時間半近くも奪われてしまっていることに愕然としませんか？　ながら視聴をする人もあるでしょうが、食事の後など、うっかりしていると、1時間ぐらいテレビに気をとられてしまうことはよくあります。

ある知人は見たい番組は録画してしまい、基本は早送り。大事なところだけノーマルスピードで見る。この方法で1時間番組は30分以下で、十分楽しめるといっています。

私はテレビはそれほど見ませんが、自己啓発学習の教材のＤＶＤは早送り、つまり、

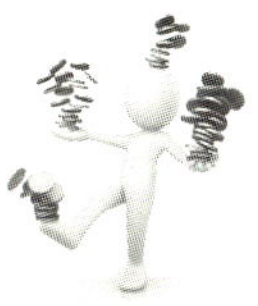

加速して見ています。CDの速聴・DVDの早送り。すべてを加速学習にしているのです。

私が、医師として多忙な仕事をこなしながら、人一倍、「学び」ができるのは、加速学習を取り入れていることも大きな要因です。

なんとなく時間をムダに過ごすということもほとんどありません。こういうと、いつもセカセカあわただしく行動しているような印象をもたれてしまうかもしれませんが、もともと、ぼんやり何もしないで時間を過ごしたり、何げなくテレビを観るという習慣がないのです。

日ごろからのこうした習慣が、忙しいスケジュールをこなしていながら、けっこう余裕をもって時間を過ごせる理由なのでしょう。

いちばん多忙な人間が、いちばん多くの時間をもつ

アレクサンドル・ビネ（スイスの神学者・1797〜1847）

27 習慣づくりで時間効率を高める

ムダな時間ももったいない。そこで、ムダも極力省くようにしています。ムダな時間といえば、探しものはその典型でしょう。探しものは時間の浪費であるばかりか、探しているうちにイライラしてきて思わぬミスを誘います。ミスをすればやり直し。イライラは大きな時間ロスにつながりやすいのです。常に平常心を保つことは、時間効率からも大事なことです。

ふだんから、仕事場などをすっきり整理する習慣をつけておく。前の日にきちんと準備し、出かける前にあわてて何かを探すことがないようにしておく、などを日ごろから習慣にしてしまいましょう。

頭を使って行動する習慣がついている人は、A、B、C、Dと4か所を回ってくるというときも、とくに意識しなくても、最も効率のよい回路をたどっているものです。

こうした小さな差が、やがて大きな差になっていくのです。

できる人は、24時間学びつづける

「先生は1日にどのくらいの時間、勉強に割いていらっしゃるのですか」。

ときどき、こうした質問を受けることがありますが、答えは、

「24時間、学びに費やしています」

学びに〝はまった〟当初は、治療時間やスタッフミーティングなど医院の運営に必要な時間を除いて、あとの時間はすべて学びにあてていました。ときには、経営者としての仕事をこなしながら、耳にイヤフォンをつけて速聴している、ということさえあったほど。

家族旅行中も、家族がプールで遊んでいる間、私は部屋で勉強している。そんなこともよくありました。ニューヨーク大学で勉強していたときも、授業の後は部屋にこもり、今日の復習、明日の予習、さらに、能力開発系の勉強もしていました。

いまはさらに学びの時間が増え、24時間、勉強しているといっても過言ではありませ

ん。こういうと、いくらなんでも睡眠中は勉強できないでしょうといわれそうです。
潜在意識を活用すると、それが可能になるのです。

夜、眠りに入る前は潜在意識と顕在意識の境界が開き、潜在意識に情報を届けやすくなるといわれています。私はこの絶好のチャンスを逃さないようにしています。

枕の下に、いま、読んでいる本を置いて寝ることは、潜在意識で行う学びに通じると聞いています。もちろん、私はよくこうしています。

ここまで徹底しなくても、常に、そのときにできる学びをするのだという意識をもっているかどうかで、長い間には大きな違いが生じてきます。

人生は瞬間、瞬間の積み重ねです。いまのこの瞬間も一瞬後には過去になってしまいます。そう意識するようになると、一瞬一瞬、本気で「学び」に費やしていく。自然にそうした習慣が身についていきます。

年収1億円を引き寄せるには

28

一瞬も逃さずに学ぶ

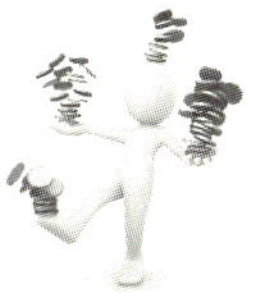

同じセミナーが地元で開かれていても、東京に行く

セミナーを選択するとき、私が決めていることがあります。同じセミナーが札幌と東京で開催されるというような場合、私は遠いほう、東京のセミナーに参加することにしているのです。

同じセミナーがニューヨークであれば、迷わずニューヨークに行きます。

時間効率を高めるという点からみると矛盾するようですが、エネルギーには、**注いだエネルギーの分だけ、より大きな収穫が得られるという法則があるのです。**時間を注いだ分だけ、ときにはそれ以上の価値を手に入れることができ、全体価値が高まるわけです。

たとえば、セミナー会場で出会う人の顔ぶれをみても、地元と東京、東京とニューヨークでは大違いです。ニューヨークなら、セミナーに参加しなければ一生、出会うことがなかっただろう、海外の友人・知人をたくさんつくる絶好の機会にもなるのです。

インターネット時代であることに加えて、全国展開のショップやイベントも多く、北海道も東京も大した違いはないという人もいます。私も、東京のほうがいい、ニューヨークのほうがいいといっているわけではありません。

ふだんと違う空気感のところにわざわざ出かける。これがよい刺激になるのだといいたいのです。遠くに出かけていけば、それだけ、行動範囲が広がります。移動しながら、空港で、あるいはホテルのロビーで見かけるあの人、この人。言葉を交わすことはなくても、こうした人々を見かけることも出会いです。

人は、出会った人から必ず、何かを感じ取ります。あの人の着こなしはかっこいいと刺激を受けることもあれば、ちょっと油断すると、ああいうだらしない姿勢をとる人もあるんだな、気をつけようと、反面教師的な刺激を受けることもあります。

そういう刺激のすべてが自分を変えてくれるのです。

こうした刺激に心惹かれ、私は最近、ほとんど毎週末を東京で過ごすようになっています。

時間は買える！　けっして高くない

1日は24時間。これを48時間にしたり、72時間にすることは不可能だ。誰もがそう思い込んでいます。

私はいま、1日を48時間にも72時間にも、いや、それ以上にも拡大して使っています。

なぜ、そんなことができるのか？　答えは簡単です。

人の時間も自分の時間化にするのです。具体的にいえば、私には私のかわりになって私を助け、支えてくれる人が何人もいます。

最近は、自己啓発系のセミナー講師や本の執筆も私の大事な仕事になり、年間を通じて、帯広の医院で治療や手術にあたるのはおよそ半分ぐらいでしょう。二足のわらじをはいているわけですが、私の場合は、その二足が非常にいい形で連動していて、精神の深いところではまったく同じ次元で結びついています。

そして、いまも私は、精力的に学びをつづけており、日本の各地、ときには海外にもどんどん学びに出かけています。

それなのに患者さんは増えつづけ、自由診療を希望される患者さんも多く、病院の収入は拡大の一途です。税理士の先生が「院長が医院に半分くらいしかいないのに、常識ではありえない」とよくいいます。

ありえないことを実現している。理由はたった一つです。

私が不在の間も私と同じように患者さんに接し、治療できるスタッフがいる。だから、ありえないことが実現できるのです。私の医院ではそれが成立しています。

私と同レベルの技量をもっているというよりも、私と同じように患者さんに愛情を注ぎ、誠心誠意、患者さんにとってベストな治療を行おうという姿勢をもっている。そういうスタッフを育ててきたのです。

医師、歯科衛生士、経理、スタッフの調整をしてくれる人……。病院にはさまざまなスタッフがいますが、私は彼らをとことん信じて任せています。まるで、彼らが私自身であるかのように。たとえば、数百万円もするような医療機器を購入する場合も、その決定をスタッフに一任する場合もあります。

ここまで徹底して信頼すれば、人はその信頼に応えようとありったけの力と誠意でことにあたってくれるのです。

病院外にも、私のかわりをしてくれる人が何人もいます。取引銀行で資産管理を行ってくれる人。旅行代理店で、国内外の旅の手配を任せている人。こうした人たちの協力のおかげで、それを私自身がやるとしたら面倒な手間ひまと時間を要することが、メール一本でさくさく進む。

本当にありがたいといつも深く感謝しています。

もちろん、それぞれ、それなりのコストが生じます。あえて**「時間を買う」**と表現したのはそのためです。でも、お金を払えば誰でもこうした人が得られるわけではないはずです。

取引先銀行や利用する旅行代理店を決めている人はいるでしょう。決まった担当者がいる人も多いでしょう。私の場合は長く信頼関係をつづけてきた結果、みな、私の思いをよく理解してくれているのです。

ツーといえばカーの関係になっていて、メール1本で、私の目的やこだわりをよく理解した、かゆいところに手が届くような手配をしてくれます。いうまでもなく、それぞれの分野のプロ。そのプロが私を理解してその知識と技を提供してくれるので、私が時間を費やして行う以上の結果を得ています。

自分以外の人に頼むことができて、しかも彼らのほうがよくやってくれるとしたら、自分でやる必要はない

ヘンリー・フォード（アメリカの自動車王・1863〜1947）

何もかも自分でこなすことは一見立派に見えますが、じつは、賢明とは対極にある考え方だといってもいいくらいです。1日は24時間と有限なのです。それ以上に、一人で

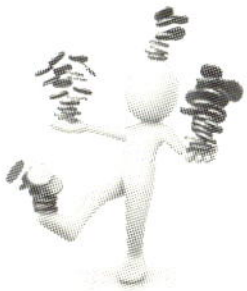

すべての領域のプロにはなれません。

たとえば、共働きで家事の負担に悩んでいるなら、家政婦を頼めばよいのです。ベビーシッターを頼んで、たまに夫婦水いらずの時間をもつことも有意義であり、コスト以上のメリットが得られると思います。

時間を〝買って〟つくるとは、自分の時間は最大価値を発揮することに使うということです。こうして有限な時間の価値を高めていけば、時間は無限大化できるのです。

年収1億円を引き寄せるには

30 なんでも自分でやろうとしない

第3章

「学び」の成果を〝お金〟に結びつける

まず投資。
リターンは
そこから生まれる

学びはリターンが確約された最高の投資

私は、これはぜひ受けたいというセミナーや講座があると、国内ばかりかアメリカでもヨーロッパでも出かけていき、本でもDVDでも、これと思うものはすぐに購入してきました。それらを合わせた費用の総額はざっと1億円はくだらないと思います。

なぜ、そんな高額を使ってきたのか。**学びは最高の投資だと確信している**からです。

バブル経済に沸いている時代には不動産や株などに億単位の投資をしている人も珍しくありませんでした。次々と不動産に投資をして、短期間でいくらに上がったといって喜んでいる人を多く見かけたものです。

ところがバブル経済はあっけなく崩壊。不動産投資をした人の多くはいま、どんな目にあっているでしょう。せっかく投資したものが壊滅的に値崩れし、大きな損失を抱えて途方に暮れている人を何人も知っています。借金をして投資した人の中には自己破産に追い込まれたり、自殺に追い込まれてしまった人までいます。

最近もリーマンショックをきっかけに、ヨーロッパの金融危機と投資環境は悪化の一途をたどっています。こうした例からも、不動産や株式などの投資はいかに不確実で、時を得なければ、あっけなく無（ゼロ）に帰す、いや、大きな損失（マイナス）を招きかねないものだとわかります。

それに対して、**学びに投資した場合は、絶対に損をすることはない**のです。学びの成果は確実に自分自身のものになり、一生、マイナスになることはありません。そのうえ、経験を重ねることによってどんどん磨きあげられていき、付加価値が加わっていくのです。

世界中のどんなに有利な投資を見ても、学びほどたしかな投資はないと断言できます。病気やけがなど万一の場合に備えて、あるいは老後に向けて、多少の蓄えがあるほうがよいことはいうまでもありません。「恒産なき者は恒心なし」という言葉もあるくらいで、多少の蓄えがないと、気持ちも不安定になってしまうでしょう。

でも、蓄えをつくること以上に大事なのは、自分に投資していこうという決意。そして実際にその決意を行動化していく姿勢です。

いま20代や30代ならば、蓄えに回すお金を自分に投資するほうが将来の収穫は大きくなるはずです。私もその年代には、学びに投資を惜しむことはありませんでした。お金に糸目をつけずに学びへの投資をつづけてきました。

そして、投資に見合う成果がなかったことはただの一度もなかったのです。

もちろん、ときにはセミナーそのものは期待したほどの内容ではなかったということもありました。でも、学びの場に出向けば必ず誰かと出会います。講師との出会い。主催側のスタッフとの出会い。そうした出会いから、必ずなんらかの収穫を与えられます。

私はこうして出会った方々との縁から、本の出版のチャンスを与えられたり、私自身がセミナー講師として招かれたりするなど、はかりしれない収穫を得てきました。

海外旅行であれこれ購入し、最後に「思い出はPriceless」(思い出には値段がつけられない)と締めくくるという、あるカード会社のCMがありました。私は、勉強への投資から得られるリターンは「Priceless」だと思っています。

31 惜しまずに自分に投資する

借金もせずには成功できない

いま、経済的な余裕がないから学べない。

この本を手にされた読者に、まさか本気でお金がないことを勉強できない理由にしている人はいないはずだと確信していますが、世の中には、そういって、みすみす学ぶチャンスを逃している人もいるでしょう。

そういう方には、「借金をしてでも学びなさい」と申し上げます。

借金というと、それだけでビビったり、とんでもないことだと目くじらを立てるのはなぜでしょう。

借金にもポジティブな借金と、ネガティブな借金があります。

自分の向上のために使うお金とか、事業の拡大や発展のために使う資金は将来を実現するための前向きな前借りで、ポジティブな借金といえるのです。

階段を上がるのに少し力が足りない。そんなとき、後ろからちょっと押してもらった

り、手をちょっと引っ張ってもらったりすれば一段ステップアップできる。借金は、この後ろから押す力や手を引っ張ってくれる力と同じです。

そのおかげでステップアップできたら、借りたお金はゆうゆうと返済できます。

企業は将来の発展のために新事業を立ち上げたり、工場を設立したりするときなどには銀行から融資を受けます。金融がなければ経済の発展は望めないといっても過言ではありません。

私も、発展のために借金をした経験をもっています。はじめて借金をしたとき、私は、これで社会的に一人前だと認められたのだと大いに喜んだくらいです。

借金もしないで、将来の発展を期するなんてムリな話。借金もせずに成功することなど不可能だといってもよいくらいです。

以前は銀行から融資を受けるには不動産などの担保が必要だったものです。最近の銀行はそうした担保以上に、融資の対象になる事業ビジョンの将来性や、経営者の人間性などをより重く評価するようになっています。

年収1億円を引き寄せるには

32 借金は自分の評価の証、と知る

借金ができたということは、自分の将来ビジョンが高く評価された証だといえるのです。借金の額が増えれば増えるほど、自分の評価が上がったと考えていいのです。

借りたお金は返さなければなりません。借金の返済は苦しいものです。でも、借金はその苦しさ以上に大きな可能性を開いてくれます。さらに、その苦しみを乗り越えることも人生の勉強になります。

借金をするところから返済まで、すべてが人生の大きな財産になるのです。

借金をしてもきちんと返済できれば、次はもっと大きなお金を借りられるようになります。事業家はたいてい、こうして借金を増やし、事業基盤を拡大していきます。

個人にも、この原理はあてはまると私は考えています。

大金を投じたからこそ得られるもの

学びもまず、自分の力に合ったレベルからスタートし、徐々にステップアップしていくのがスタンダードコースです。でも、ときには思いきって背伸びをすることも大事です。背伸びをすると一気に自分のステージを高めることができるからです。

以前、1回18万円という高額のセミナーを受講したことがあります。ある出版社が、はじめてドラッカー塾を手がけることになったもので「トップマネジメントコース　ドラッカー塾」というセミナーでした。1年間12回で一つのコースになっていたので、参加費用はトータルで216万円。

当時はいろんな経営学のセミナーに通っていたのですが、できればワンランク上の本物の経営学を学んでみたいという気持ちになっていたところ。そこで、思いきって参加してみたのです。

さすがに定員12名の少数精鋭主義というか、あまりに高額で参加者が少なかったのか、会場に顔をそろえた受講生は8名。比較的若いのは私ともう一人ぐらい。残りは50～60代。大手企業のトップ経営者ばかりでした。

しかもこのセミナー、講義らしい講義があるのは午前中だけで、午後からはグループに分かれてフリートーク。1回18万円もとっておいて、半分はフリーディスカッションかと思ったくらいでした。

でも、このディスカッションがすごくよかったのです。なんといっても、メンバーの多くは年商数百億～数千億円の大企業のトップ経営者なのです。それまで出会っていた年商数十億～100億円という経営者とはまるで格が違います。

年商数十億～100億円クラスの経営者には、たたき上げの人に共通するすさまじいばかりの情熱があり、大いに刺激を受けてきました。年商100億円までなら仕組みがなくても情熱だけでなんとかいける。そんな印象をもち、私もまず、そこをめざしていこうと自信も得られました。

ところがそこから一ケタ上がると、人としての器が違ってくるのです。経営者として優れているだけでなく、それぞれが人間的なオーラを放っている。親しくなって話をすると、みなすごい人格者なのです。それだけの人間力がないと大企業を引っ張っていくことはできないのだと圧倒される思いでした。

私は参加者の中では最年少組で、歯科医院は経営していますが、企業経営者というわけではありません。企業経営者から見ればまったく異質な世界の人間だったので珍しがられ、とても可愛がってもいただけました。

このとき、参加者の一人、その方も大手企業の社長さんでしたが、この方から、

「井上君、50歳までは勉強をしなさい。そこまで勉強をつづける人はいないから、50歳まで勉強していると、もう後を追いかけてくる人はいなくなって、間違いなくトップランナーになれますよ」

といわれた言葉はいまも脳裏に深く刻み込まれています。

大会社の社長さんでも、こうしてセミナーに出てくるのだということも大きな刺激になりました。伺うと、1日や2日、自分が不在でも会社はきちんと回るシステムをちゃんとつくりあげておられるのです。これを学んだことも大きな収穫でした。

経営とはある意味で、チームプレイなのです。パワーマネジメントチームと呼べるような強力な仕組みができていれば、日常の仕事はこのチームに任せることができます。そうなれば社長はその分自由に時間を使えるようになり、こうしたセミナーなどで、次

の成長のための学びができるようになるのです。

その教えを生かして、その後、私も信頼のおけるパワースタッフチームを育ててあげてきました。その結果、いまでは毎月10日間以上、東京に出かけたり、講演のために日本国中から海外にも足を伸ばせるようになっています。

セミナーでは毎回、ワークもありました。このワークでも多くの教えを受けたことをよく覚えています。さすがにトップマネジメントの方々の集まりでは、プレゼンテーション一つをとってもそれぞれ感動的なまでにみごとなのです。本当に勉強になりました。

思いきって背伸びをすると、現在の自分のレベルから頭1つも2つも抜け出した、はるかに上のステージの人々と交わることができるのです。

人は交わった人々の影響を強く受ける生き物です。自然に自分もその人たちのステージに移行していき、気がつくとしっかりステージアップしていきます。

大金を投じても、必ず、それだけのリターンがある。それが学びの醍醐味というべきものでしょう。

いいお金の使い方をすると人生が変わる

東日本大震災のとき、ソフトバンクの孫正義さんは私財から100億円を寄付され、大きな話題を呼びました。楽天の三木谷浩史さん、ユニクロの柳井正さんもそれぞれ10億円以上を寄付され、つらいニュースが多い中で一条の光を放ったものです。

こうしたいいお金の使い方をすると、お金はちゃんといい仲間を連れて帰ってきます。

もちろん、震災で寄付をした人たちに見返りを求める気持ちなどなかったでしょう。

「鏡の法則」をご存じでしょうか。

この世の中で起こることはすべて、自分の心の反映なのです。

同じ金額を使うのでも、常に社会のため、人のために貢献できるようにと心している人にはちゃんとリターンが返ってくるのは、この法則が働くからです。

お金は一つの力です。社会的なパワーです。お金がほしい。学んだことをお金に結び

34 鏡の法則どおりにお金を使う

つけたい。勉強した結果、収入アップを実現したいというのは当たり前の気持ちです。

その気持ちはいやしいことでも、恥ずかしいことでもないと胸を張っていいのです。

ここから先が大事なのですが、お金がほしい、お金を手に入れたいと思うならば、いつもいいお金の使い方をするように心がけていなければいけません。

東日本大震災では多くの人がごく自然に、被災された方々や被災地の復興のために、自分ができることをしたいという気持ちになり、休みの日には手弁当で被災地に駆けつけたり、コンビニのお釣りを寄付したりしたものです。

その結果、いいお金の使い方をするとなんともいえないほどしあわせな気持ちになることを、実体験として知ったことでしょう。

いいお金の使い方は寄付だけではありません。学びや自分自身の向上のためにお金を使うこともいいお金の使い方です。こうしたことが積もり積もっていけば、鏡の法則が働いて、必ず、いいお金が返ってきます。

これは法則ですから、例外はありません。

本当のアメリカン・ドリームとは何か？

無一文から立ち上がり、大成功の末に大富豪になることをアメリカン・ドリームだと勘違いしている人が多いようです。

アメリカ人が描く理想の人生は、そんな品性のない生き方ではないのです。

ニューヨーク大学で、日本人としてはじめて「インプラントCDEプログラム」を学び、いまではニューヨーク大学で日本の歯科医師が最高レベルのインプラント技術を学べるセミナーの代表という役割を担ってきた私は、アメリカにもたくさんの友がいます。

彼らが描く**最高の人生ビジョンは社会福祉に生きること**なのです。

カーネギーもロックフェラーもビル・ゲイツも、ビジネスを大成功させると、次の生き方の軸足を社会福祉に移しています。

35 社会的価値のある夢をみよう！

ビル・ゲイツは父親や妻とともに慈善団体を立ち上げると2005年、7億5000万ドルを寄付。民間としては世界最大規模にあたるそうです。

2008年にはマイクロソフト社の経営とソフト開発の第一線から身を引き、以後は慈善活動中心に生きています。

日本でも戦前までは大地主などが、貧しいために進学できない優秀な子どもの学資を提供することが当たり前に行われていたと聞きます。

お金はこうした使われ方をしたとき、本当の価値を発揮するのです。

もともと、ビル・ゲイツの素顔はかなりの倹約家だそうです。何度も世界一の大金持ちに輝きながら、お金をじゃぶじゃぶと湯水のように使うことには関心がなく、むしろ、倹約することをゲームのように楽しんでいるというから痛快です。

富は社会に還元する。こうしたことをドリームといってのける国民性は偉大です。

カーネギーホールに足を踏み入れるたびに、私はその精神を胸いっぱいに吸い込むようにしています。

お金をリスペクトする

なすべき仕事が楽しいことは、仕事で与えられる最大の報酬です。どんな仕事も楽しくてしかたがない私は、このうえない報酬を得ているといえるでしょう。

では、お金はどうでもいいかといわれれば、けっしてそうではありません。

お金は仕事の対価として与えられるものです。

よい仕事をし、社会から評価されれば、それだけ多くのお金が得られます。少しでも高い評価を得たい。少しでも社会のためになる仕事だと認められたい。そう願うならば、仕事で得られるお金には大きな関心をもつべきです。たくさんお金を稼げることは、仕事がそれだけ認められたという証なのです。

経営者の立場からいっても、お金は評価です。いい仕事をしてくれた場合は、特別賞与を出すとか昇給などで、その功績に報いるようにしています。

その意味から、私も仕事をする以上、少しでもたくさんのお金をいただけるようになりたいと、いつも強く願っています。

富を軽蔑する人間をあまり信じるな
富を得ることに絶望した人間が
富を軽蔑するのだ

フランシス・ベーコン（イギリスの哲学者・1561～1626）

お金には、ものを買うこと以上の力が秘められている、と思います。だから、絶対にどうでもいいなどと考えないことです。

一円でもきちんとリスペクトする。これが、私のお金に対する基本的なスタンスです。

年収1億円を引き寄せるには

36 一円のお金にも敬意を払う

素直にお金に手を伸ばす

本当に大切な自由はただ一つ 経済的自由がそれだ

サマセット・モーム（イギリスの作家・1874〜1965）

お金がすべてだとはいいません。でも、人生においてお金の重要度はかなり高い、といい切ることはできます。いや、そういわざるを得ないのが現代社会です。

昔は、お天道さまと米の飯はついてまわる、といったものですが、現代では、職を失い、給料が途絶えたら、ホームレスになり、残飯をあさって飢えをしのぐほかはありません。こうした生活を送りながら、高い志をもちつづけることができるでしょうか。

発展途上国に行くと、小学校に行っていなければおかしい年代の子が観光客に小銭をせびったり、安物の土産品を買ってもらおうとあの手この手で迫ってきます。こうした子どもたちに明るい未来が待っているとはいえないでしょう。

貧困の恐ろしい点はそれが世代を超えて受け継がれてしまうことです。貧しい親は子どもを満足に教育できず、十分な教育を受けられなかった子どもは貧しい人生から容易に抜け出せない。貧困は連鎖し、継承されるのです。

その意味から、私は貧困を恐れています。

日本人に、お金のことを口に出すのはいやしいとか、品がないとみなす風潮があるのが不思議です。お金がすべてだと考え、お金にしがみつくのは行きすぎですが、**お金は大事なものであることを認め、お金が好き、お金がほしいと素直に口に出し、手を伸ばす。こうした正直さは潜在意識によい印象で植え込まれます。**

潜在意識によい形で植え込まれる願いであれば、その願いを叶えるだけのお金は必ず手に入ります。お金に対してもっと素直にふるまいましょう。

真の豊かさを知ることは自分への先行投資

ルーヴル博物館の主要スタッフは貴族の家柄の出身とか、世界的な富豪の出身が多いそうです。シャネルやエルメスのスタッフも原則として、家柄や富に恵まれた環境で育った人だそうです。

豊かさは収入の金額や預金の残高ではかれるような薄っぺらなものではないということです。幼いときから本物の絵画を見て育った人は絵画の本質を本能のように自然に感じ取れるようになるし、常に最上級のものを身につけて育つと、上質ということが真の意味で身につくのです。

日本ではブランド品は成金趣味の延長線上といったイメージがありますが、本来、一流のブランド品の真髄はもっと奥深いものです。提供される品物が本物であるだけでなく、対応してくれる店員も洗練されたマナーやコミュニケーション技術を身につけています。

38 本当によいものとふれあう

そうしたものを身につけ、洗練されたスタッフに接することにより、本当の豊かさとはなんであるかを自分自身に刷り込み、自分のステージを引き上げていくようにしたいものです。

京都にはいまも、「一見《いちげん》さん、お断り」という世界があるそうです。そうしたお店の一つであり、ミシュランの三ツ星を獲得しているある料亭の店主は、「おなじみさんからの紹介客でも、『もう来てもらわんでもええ』というお客がある」と、ある雑誌の記事の中で話していました。

一流の店とはこういうものです。店もお客を選別しているのです。

いまは、美術館に行けば本物の絵を見ることができます。ＤＶＤで第一級のアーティストの音楽にもふれられます。ブランド品に限らなくても、本物のよさをもつ品もたくさんあります。できるだけそうしたものとの接点を増やして、真の豊かさを自分のものにしていきましょう。真の豊かさはそれを身につけようと努める人のもとに引き寄せられてくるものです。

ブレない評価基準をもつ

ミシュランの三ツ星レストランの数がいちばん多いのは当然フランスでしょうと思われがちですが、じつは日本。いまや、日本は世界に冠たるグルメ大国なのです。

口福《こうふく》という言葉があるように、おいしいものは人をしあわせにし、しあわせな気分は潜在意識によい影響を与えて、潜在意識の力を最大限、活用できるようにもなります。

ときにはミシュランの星つきレストランでの口福を味わう体験もおすすめです。

たとえば、はじめて三ツ星レストランに行ったとします。たいていは、レストランの仰々しい構えや、なんといってもミシュランが三ツ星をつけたということにひれ伏してしまい、「さすが三ツ星レストランだ」となんにでも感激してしまったりします。ところが、何回か三ツ星レストランで食事をする経験を重ねていくと、「星がついているからといって、必ずしも最高のサービスだとは限らない」とか「三ツ星がついているけれど、この前の星のない店の料理のほうが料理もサービスも上だ」というような判断ができるようになっていきます。星に惑わされず、自分の目や舌で本物を見抜けるようになっていくのです。

こうした、自分なりの星をいくつかつけたレストランに行き、**自分なりの基準で料理やサービスを楽しめるようになることこそ、本当の贅沢を知る喜びといえるでしょう。**

ミシュランの三ツ星の評価に惑わされず、最終的な評価は自分自身でくだせる。それは何につけても世間の評価に影響されない、ブレない自分になることを意味します。

第三者の評価を意識した生き方はしたくない
自分が納得した生き方をしたい

イチロー（日本人メジャーリーガー）

年収1億円を引き寄せるには

39

自分が納得する生き方をする

お金を手に入れる最高のサイクル

豊かな人をお金持ちといいますが、お金はもっているだけではなんの意味もありません。1万円札ももっているだけではただの紙。「1万円の価値」を放つのは紙幣を使ったときなのです。

銀行口座にため込まれたお金は、刻印された数字にほかなりません。

日本は貿易大国だから、国民のタンス預金が84兆円あるから、経済大国だという思い込みはないでしょうか。

ヨーロッパを歩いていると、100年も200年も前、世界の海を支配していたころに手にしたお金でしっかりとした都市基盤をつくっていたのだと痛烈に感じます。ロンドンのシティ。パリの凱旋門からオペラ座に通じる一角。壮大な石づくりの建物が並ぶベルリンの大通り……。

さらに、彼らの使ったお金がいまに生きていることを感じるのは、人々の心豊かなライフスタイルです。ヨーロッパでは富裕層は富裕層なりに、経済的にゆとりのない世代はそれなりに、毎日をゆったり豊かに生きる精神的習性とでもいうべきものを手に入れているのです。

お金は使ってこそ生きる。そして、お金が生きた証が蓄積されてはじめて、真の豊かさがもたらされるのです。

価格とは、
何かを買うときに支払うもの
価値とは、
何かを買うときに手に入れるもの

ウォーレン・バフェット（アメリカの投資家・1930〜）

バフェットはアメリカ一のお金持ちになったこともある世界有数の投資家です。
お金を使う。それにより手に入れた価値で新たな富を手に入れる。これが、名実ともに豊かになっていくリズミカルなサイクルなのです。

お金の使い方は人格の一部です。
きれいに、気持ちよくお金を使える人をめざしましょう。

年収1億円を引き寄せるには

40

富を手に入れるリズムをつかむ

第4章

学びと類友の法則

よくも悪くも、人間関係は
引き付け合う

人間関係では無理をしない

人生の質を決めるのは人間関係に尽きるといっても過言ではないでしょう。

よい人間関係を保つ方法や心構えを書いた本はたくさんあります。人とうまくいくためのコミュニケーション術や、誰からも好かれる人間になる心遣いや立ち居振る舞いを書いた本も次々出版されます。それだけ、人間関係に悩んでいる人、人間関係をうまくやりたいと願っている人が多いということでしょう。

ところが、私はそういう考え方をしたことがありません。

もっとはっきりいえば、すべての人とうまくいくとか、誰からも嫌われないようになるということはありえないと考えているのです。

周囲の誰とでもうまくいかなければいけない。誰とでも円満に付き合えることが人間関係のうまい人だというのは、まったく誤った思い込みではないでしょうか。

私たちは聖者と違って、自己の敵を愛するのは無理かもしれないけれども自分自身の健康と幸福のために少しでも敵を許し、忘れるようにしよう

デール・カーネギー（アメリカの事業家・1888～1955）

カーネギーは苦手な人となんとか折り合いをつけようとするのはムダであり、そうしたムダのために、たとえ一分でも、人生の時間を割く価値はないという考え方の持ち主です。私も基本的にはカーネギーと同じように考えています。

この世には何億何千の人がいるのです。なんとなく違和感があるのに、なんとかうま

くやっていこうと神経をすり減らすくらいなら、その人とは最小限度の付き合いに止め、新たな出会いに期待するほうがずっとよい結果が得られるはずです。ウマが合うという言葉もあるように、大勢の人の中にはなぜかしっくり合う人もあれば、けっして嫌いというわけではないのに、どうも気持ちがしっくりしない人もいる。当たり前の話です。

「あ、この人とは合うな」と感じられる人。一緒にいるとそれだけで楽しく、気持ちが和んでくる人、できるだけそういう人と多く交わるようにすればいいのです。

周囲の人とまんべんなくうまく付き合おうとすれば、常に緊張を強いられることになり、ストレスは限りなく増してしまいます。そういう人間関係を無理してつづけることにこだわる必要はありません。

人生は自己選択の連続です。人間関係についてもその原則はあてはまります。

誰とでもうまくやることに神経をすり減らすのではなく、この人ならばと選択した人とだけ、本気で、誠心誠意向かい合って付き合えばいいのです。

自分にとって心地よい選択をすれば、心地よく、しあわせな人生になります。

年収1億円を引き寄せるには

41 ウマの合う人とだけ付き合う

「この人は！」という人を見きわめる

カルロス・ゴーン氏は、数分同席すれば、その人が大きな素質をもっているかどうか、確実にわかるといっています。どこでそれがわかるのでしょうか。

ゴーン氏によれば、「非常に主観的なのですが、その人のいうことが面白いかどうか。つまり、自分がその人に引き付けられるかどうか。その人に夢中になれるかどうか」だということです。

その人の社会的な地位などとは無関係に、その人に引き付けられるかどうか。そういう人を選んで付き合うようにしていけば、人間関係について悩むことはぐんと減らせるはずです。

この世のすべては、究極的には波動に置き換えられると考えられています。人もある種の波動をもっています。この波動が合うか合わないか。人間関係は行き着くところ、波動の相性が基本だといえるでしょう。

波動が合うか合わないかを最も簡単に感じ取る方法があります。一緒にいる時間が長

く感じるかどうか。それを目安にすると間違いがありません。

同じ1時間でも、恋人と過ごす1時間と、どうでもいいような退屈きわまるミーティングで過ごす1時間では心理的に感じる長さは大違いです。

ひととおり、話が終わっても、まだ、もう少し話したいと感じる人も波動が合う人です。そういうビジネスパートナーや友人があれば、その他大勢の人とまでうまく付き合おうとする必要などありません。

自分にとって本当に大事な人、波動の合う人との時間をできるだけ多くとる。これが、本当の意味で、人間関係をうまくやることなのです。

また、会った瞬間に、「この人との出会いを待っていたのだ」と感じる出会いもあります。私もそんな出会いをいくつも重ねています。潜在意識の存在をはっきりと認識するようになってから、こうした出会いが加速度的に増えていると感じています。

年収1億円を引き寄せるには

42 波動の合う人と付き合う

苦手な人にはニュートラルに向き合う

会社員や公務員など、組織で働いている場合は、苦手な人とは付き合わないという態度を貫くことはむずかしい場合も少なくないでしょう。どうしてもいまの上司とうまくいかない。反対に、この部下とはギクシャクしてばかりいる、そんなケースもあるはずです。

私にも、苦手な人とプロジェクトを進めるという経験がなかったわけではありません。そういう場合は、相手を全否定しないようにすればよいのです。恋愛は「好き・嫌い」ですべてが決まりますが、仕事など社会的な関係ならば、「好きでも嫌いでもない」という関係性が成立するはずです。

大人の人間同士であれば、ニュートラルな心情で相手と向かい合うこともできるでしょう。そこから、当面進めなければならないことについて、相手の個性や特徴的な能力を見つけ、その部分で結びつけばいいのです。

ニュートラルなスタンスをとると、感情が入り込むことがあまりないので、淡々とことを進められます。

この世には完全無欠なものもなければ、全然無用の品もない
われわれの親にも友人にも欠点があれば、われわれが憎しみ嫌う人にも特徴はある

新渡戸稲造（明治・大正・昭和初期の教育家・1862〜1933）

不思議なことに、私が潜在意識の存在をしみじみ実感するのは、むしろ苦手な人と一緒に何かをしなければならない場合です。苦手感のある人と接する場合、その方の潜在意識に働きかけるようにすると、たいていうまくいくのです。人間関係に関する限り、苦手は克服するというより、気にしないようにするという姿勢をおすすめします。

年収1億円を引き寄せるには

43 ニュートラルな人間関係も選択可能、と知る

運気の強い人と一緒にいるだけでもよい

「学び」を通じて運気を高めていく。これも非常に大事です。

最も簡単に目に見えるほど確実に運気を高める方法は、運気の高い人とともにいることです。

私も意識を高めるセミナーで潜在意識について学び、やがて能力開発や潜在意識のセミナー講師をするようになり、最近では運気の高い方にお目にかかる機会が増えています。それにともない、私の運気までぐんぐん高まってきています。

つい最近も、日本でも非常に運気が高い方と多くの人が認めている南部恵治さんとお会いする機会があったので、ご挨拶だけでなく、握手をさせていただきました。

運気の高い方と同じ空気を吸うだけでも運気を分けてもらえますが、できれば、握手やハイタッチ、ハグなどをしてその人の体温を感じ、脈拍を感じる。こうして、その人の全存在を感じ、その人の運気の波動を自分の波動と共鳴させるようにしましょう。す

ると、その人が〝乗り移った〟ように、その方の運気のレベルまで高められるのです。

現在、「強運」をテーマに講演やセミナー活動を盛んに展開しておられる南部恵治さんは、人材派遣会社の大手パソナの創業者として知られる南部靖之さんの実の兄上で、ご兄弟で大きな成功を収めていることで知られます。

恵治さんは常々**「運は相性の合う人の波動と連動する」**とか**「運は所有する人から集めるもの」**と語っておられ、ご自身の強い運を、それを必要とする人に注ぎ込むことを使命とされています。

なぜ、運気を分けようとしているのか。その理由は、恵治さんご自身、若いころに出会った成功者、勝ち組入りした人から強い運気を集め、その結果、若くして事業家として大きな成功を手に入れることができたからだといっておられます。

成功するための第一の条件は「自分が強運だと自覚することだ」。

南部さんの主張です。

私も、どの占い師からも、めったにない強運をもっているといわれ、その言葉を裏付けるように、これまでの人生は思ったとおり、願ったとおりに開けています。

年収1億円を引き寄せるには
44 運気の強い人に近づく

もって生まれた私自身の強運に南部さんの強運が掛け合わされたのです。

南部さんと握手をしたその日、ホテルに帰ってアマゾンのサイトを確認したら、私の本が1位に躍り出ていました。新しく本を出すとしばらくの間、私は毎日、アマゾンでの順位を確認しています。アマゾンで1位になると、たいてい、書店の店頭でもベストセラー入りを果たすのです。

その後、この本はビジネス書の世界では大変なベストセラーとなり、大阪の大きな書店で、話題沸騰中だったスティーブ・ジョブズの本を抜いて第1位になったほどの勢いとなりました。

もちろん、出版社や担当編集者など本づくりにかかわってくださった方々の力の集大成だと心から感謝していますが、一方で、南部さんと共鳴・共感したことにより、運気が大きく高まったからでもあると確信しています。

成功者といわれる人の講演会には積極的に参加し、運気を共有してきましょう。

人脈づくりはまったく必要ない

人脈づくりが重要だ。どんなビジネス書にもそう書いてあります。でも、私は人脈づくりをしたことがありません。パーティに行っても名刺交換などしません。名刺の束をもって名刺交換に忙しい人をパーティではよく見かけますが、こうしたところで出会った人と後々ビジネスを一緒にすることがあるのでしょうか。

知り合いに聞くと、「いやあ、ないなあ」という返事がほとんどです。

それでも名刺交換に余念がないのは、人脈づくりに励まなければという強迫観念にも似た思いがあるからでしょう。

とくに人脈づくりをしたことがないにもかかわらず、私は、人には本当に恵まれています。こういう方とお知り合いになりたいと思う人とは必ず出会い、1、2度会っただけでとことん心が通じ合い、大きなプロジェクトをご一緒するようになることが多いのです。
仕事に役に立つ人と知り合いたい。人脈をつくろう。そういう思いが先行して名刺を交換しても、そこに残るのは利害関係という感動のない人間関係だけです。

私の場合は、自分の人間性を高めたい。そういう思いにかられて学んでいるだけで、学んだことのうちで他の人にも役立つことがあるなら、それをその人とも分かち合いたいという思いがあるだけです。

それなのに、出版したいと思えば出版社の方と出会い、自己啓発セミナーの講師にならないかと声をかけていただける……。

そうした経験から、**人脈はつくろうとシャカリキになってもダメ。自分を磨いていれば、必要な人とは自然に出会う**ようになると確信しています。

マイペースでも人間関係は築ける

私はお酒を飲みません。というより、飲めません。

仕事人になってからの学びを侵食するのが酒。というより、学生時代から、「いやあ、昨日はつい飲みすぎちゃって」と頭をかきながら、本来なら、昨日の夜にやる予定だった課題を翌日、必死になって取り組んでいる仲間たちの姿を見てきました。ちょっと1杯付き合うだけのはずが、気がつくと夜中になっている。飲みすぎて家に帰るとベッドに倒れ込んで寝てしまうだけ。あるいは、学びに使うはずだったアルバイトをしてためたお金がすっかりアルコールに化けてしまった……。そんな経験をもつ人もいるでしょう。

酒を飲めなかったから、というより、私は大学に入ったころから、**「群れの中にいてはいけない」**と考えるようになっていました。もっと広い視野に立ち、たとえば世界の歯科治療にかかわるような、そんな歯科医になりたいと思うようになっていたのです。

医療の基本は地域の患者さんです。地域医療に身を置くことはその意味でも非常に大事です。でも、そこに甘んじていたのでは飛躍はできません。群れの中に埋没している限り、そこから抜け出すことはできない。そこで出てきた答えが「群れから飛び出そう」だったのです。といっても、大学院で博士号をとるためには、周囲の人間関係を無視したり、壊してしまうようなことは言語道断です。組織にいれば、周囲との人間関係と自分のやりたいことをどう両立させるかはいっそう大きな課題になるでしょう。

けれど、割り切るべきところはクールに割り切る。これが私が見出した付き合いのルールです。たとえば、大学院時代、定時より後まで残っていても、多少は研究は進めるものの、それ以上の時間を意味のない談笑や、グチや人のうわさ話に費やすのがほとんどです。そんなのはもったいない。そこで、私は定時で帰宅し、自分の時間はまるまる勉強にあてていました。朝の時間は反対にフル活用しました。朝の研究室は機器などが空いているので、好きなペースで研究を進められます。そこで人より早く出かけ、みんなが来るころにはもうひと研究終えていたのです。

その結果、日中はいつも余裕があり、みなで一緒にするお茶の時間ではいつも笑顔を浮かべることができたのです。新年会や学期末のお疲れ会があると、その1週間ほど前から朝のスタートを早め、ランチタイムも勉強にあてて会合の前にその日の予定は全部

こなしてしまっていました。

人は常に選択をしながら生きています。

人付き合いと自分がなすべきことをどう選び分けるのか。

群れから飛び出す。私はそう決めていたので、選択に迷うことはありませんでした。

でも、要所要所の付き合いはみなと、とことん楽しみました。ただし、だらだら長引かせない……。

マイペースを守りながら、人間関係を最低限キープするだけの時間は確保する。大学院のクラスメートは十数人。その中でこんな生活パターンを守っていたのは私だけでした。

でも、私には信念があったので、まわりも「何か違う」と認めてくれていたようです。

自分自身の人生なのです。確信をもって自分のやり方をしていれば、周囲はちゃんと認めてくれます。

付き合いが大事、人間関係が大事というのはわかります。でも、それを勉強を妨げる理由にしてはいけないし、また、その理由にはなり得ません。

ライバルがいる喜びと効果

ライバルが強くなければ、自分も強くなれない

松下幸之助（パナソニックの創業者・1894〜1989）

私はこれまで、ライバルらしいライバルをもったことがありませんでした。周囲の誰かと競うという気持ちがほとんどなく、常に自分なりに目標を定め、それに向かって邁進してきたからです。

ところが、自己啓発系の学びを進めていくにつれ、たくさんの同じ道を進む方々との出会いが増え、どの方も素晴らしい方だと思えば思うほど、そうした方々に少しでも近づきたい、追いつきたいと、一種のライバル心をもつようになっています。

もちろん、そうした方々をライバルと呼ぶことはおこがましく、考えようによっては失礼かもしれません。でも、私は心の中だけであえてライバルと呼ばせていただき、自分を高めていくための指標にしています。

もし、何かを必死になって学びたいのなら、ライバルの存在はこれ以上ない、よき刺激となるものです。学びに疲れたり、何かに気を取られそうになったような場合も、「こうしている間もライバルは学んでいる」と思えば、怠け心に歯止めをかけられます。

よきライバルがいると加速する。

これは、大人の学びにとって、とても大きな事実だと思います。

登山愛好家には、単独行タイプとグループ行タイプがあるそうです。一人で頂上に向かって黙々と登っていかれるタイプもあるでしょうが、励まし合い、一緒に高みに登っていく喜びもまたひとしおです。

学びを確実に加速してくれるライバルの存在。自己啓発系の学びとの出会いにより、私はライバルの貴重な存在価値を教えられ、この点でも大いに感謝しています。

年収1億円を引き寄せるには

47

ともに競うライバルをもつ

ただ感謝、ひたすら感謝

学べば学ぶほど、あまりにも微力であることに気づいていく。無限の可能性を秘める存在でありながら、一方で自分の非力さを完膚なきまでに知らされる。学びの行き着く先は、自分は多くの人に支えられ、助けられているというもう一つの事実への気づきです。それに報いるのは感謝しかありません。

私はどんな場合も、「ありがとう」と感謝の言葉を真っ先に口にするように習慣づけています。自分がお金を出して買い物をした場合でもです。

気に入った買い物ができたのは、それをつくってくれた職人さんのおかげ。

それを見つけ、仕入れてきてくれた店のおかげ。

私にそれをすすめてくれた店員さんのおかげ。

一つのものが自分のものになるまでにも、感謝すべきことがこんなにも多く重なっているのです。

毎日、出会う人、ともに行動する人、自分を支えてくれる人に感謝、ひたすら感謝を捧げること。その気持ちから新たな可能性が開かれていきます。

精神的であれ、物質的であれ、富がもたらされる全過程は、感謝という一語に要約することができますあなたが感謝の心をもたないとしたら、豊かさとは縁遠いに違いありません

ジョセフ・マーフィー（アメリカの自己啓発家・1898～1981）

たえず感謝をすることにより、人はあなたの存在価値に目を見開き、その結果、あなたを真摯に求めるようになっていきます。

誰かに強く求められる存在であること。これこそが新たな仕事につながり、そこから稼ぎが生み出されていく可能性が芽生えるのです。

感謝なしには何事もけっしてはじまることはないことを、常に心に刻んでおきましょう。

今日、何回、「ありがとう」といったか、数えてみましょう。その数が増えていくにしたがって、豊かな収入を手にする自分に近づいていくことが実感できるはずです。

怒り、憎しみというような否定的な感情に支配されそうになったときも、「ありがとう」とつぶやいてみると、否定的な感情は溶けてなくなってしまいます。

笑顔も磨くことができる

よく、「先生の笑顔は本当に素晴らしいですね」とおほめの言葉をいただきます。どんなほめ言葉よりもうれしく、そういわれると、ますます、笑顔をふりまいている私です。

私の笑顔は「学び」によって磨きあげたものなのです。

アメリカのあるビジネススクールでは、全過程の最後に「笑顔」というカリキュラムが組み込まれているそうです。ある外資系社長が書かれた本でこれを読んだことをヒントに、私も好印象を与える笑顔のつくり方を勉強しました。

笑い顔を見ると、その人の品性や知性がよくわかります。

私も最高の品性と、最高の知性をしのばせる笑顔を身につけることを目標に、いまも毎日、笑顔を磨きつづけています。

毎朝、シェービングなどで鏡を見るとき、鏡に映る自分に向かって、心から愛情をこめて、深く、穏やかに笑いかける。これが笑顔を磨くトレーニング法です。歯が見えすぎていないか。表情が崩れすぎないか。何よりも、ちゃんと笑顔になっているか……などをチェックするのです。

笑顔は元手がいらない
しかも利益は莫大
与えても減らず、
与えられたものは豊かになる
一瞬、見せれば、その記憶は永遠につづく

デール・カーネギー（アメリカの自己啓発家・1888〜1955）

よく、目が笑っていない笑顔を向けられることがあります。形だけ整えても、心がこもっていない笑顔の典型です。こんな笑顔ならないほうがまし、だとはいいません。でも、もう一段がんばって、目も心も笑うように、笑顔を進化させていきましょう。

相手の潜在意識に微笑みかける。そんな気持ちをもつと、目にも笑みがこもってくると思います。

笑顔と「ありがとう」という言葉は、太陽にも匹敵するすべてのエネルギーの源泉です。

今日も素晴らしい笑顔と「ありがとう」を忘れずに。私のブログの締めくくりは必ずこの言葉に決めています。

年収1億円を引き寄せるには

49 笑顔に自信をもつ

第5章

1億円プレイヤーへの習慣術

毎日の習慣こそ、
成功者に近づく道

達成感の喜びを体に刻む

「先生は本当に勉強がお好きですね」

私が年間100日以上、セミナーや講演会、特別スクールなどに費やしていることを知ると、ほとんどの人がこういいます。

そう、たしかにいまは、勉強は大好き。勉強の喜びを考えただけで、気持ちが高揚してくるぐらいです。

でも、学生時代、とくに大学までの私は、「勉強がすごく好き」というタイプではなかったのです。小・中はスポーツに明け暮れるスポーツ少年でした。友だちのお父さんがアジア選手権で3位になったという有名な卓球選手だったことから、小学校のころからかなり本格的に卓球をやっていたのです。

北海道の冬の寒さははんぱではありません。その寒さの中で朝練。放課後もあたりが真っ暗になるまでひたすらラリーやサーブの練習です。試合では強烈なスマッシュとかオーバーアクションのサーブなど華やかなプレイの応酬ですが、ふだんの練習は単調な基礎練習をうんざりするほど繰り返します。

あとはランニングや筋トレ。地味でつらい努力を強いられる毎日の連続です。

その甲斐あって、中学校のときには入学後はじめての大会に第1シードで出場し、優勝杯を手にすることができました。そのうれしかったことはいまでも忘れられません。

目標を掲げてがんばる。結果がついてくる。最高の喜びを与えられる。

この経験から、地味でつらい努力の記憶は目標を達成したその一瞬で消え去り、はかりしれない大きな喜びに変わってしまうことを身をもって知ったのです。

達成感の喜びは一度知ったら忘れられません。何度でも味わいたくなり、そうなるといい意味での〝努力アディクション（addiction ＝夢中になる・はまる・中毒）〟**になってしまいます。**

最近になって少し落ち着いてきましたが、一時期、私は完全に〝努力中毒〟状態だったのかもしれません。当時を振り返ると、妻も、「なんだか異常だと思うくらいやっていたわね」と笑うくらいです。

勉強の喜びにとりつかれ、飛行機に乗っているときもずっとイヤフォンをつけっぱなし。勉強のCDを聴いているのです。次々、新しいCDを聴くこともあれば、同じCDを何度となく聴き返していることもありました。家族で旅行に行っても、ずっと耳にイヤフォン。よく、家族からブーイングが出なかったとあらためて家族に感謝です。

ここまで一心不乱に努力できるのは、学生時代のスポーツ体験を通して、努力は自分を裏切らないことと、目標を達成した瞬間の喜びが深く刻み込まれているからでしょう。

いまも、ハードルの高いセミナーをクリアした瞬間には、子どものころに体験した優勝の感動がありありとよみがえり、ゾクゾクッと体が震えるほどの喜びを感じます。

iPS細胞をつくったことで知られ、ノーベル賞候補にもなっている京都大学の山中伸弥教授も学生時代は柔道やラグビーに熱心に取り組んでいた体育会系で、10回以上の骨折歴もあるそうです。

わが子を努力好き、勉強好きな人間にしたいなら、絶対に勉強よりスポーツです。

まず、達成感を味わう。学びの喜びはその延長線上にあります。

年収1億円を引き寄せるには

50 達成感を経験する

勝ちグセをつける

卓球で身につけたのは、それだけではありません。「勝ちグセ」が身についたのです。

最近は小学校に入る前、幼稚園段階からの教育熱がヒートアップしていて、お母さんのお腹の中にいるときから通う英語スクールもあるそうです。お受験の影響もあるのでしょうが、幼児期から学習塾へ通うお子さんは珍しくありません。

たしかに勉強も大事でしょう。でも、それ以上に大事なのは、何かに打ち込んで達成する、そういうことを繰り返し体験することだと思います。それによって、勝ちグセが形成されていくからです。


私も人の子の親なので、わが子に少しでもよい教育をと思う気持ちはよくわかります。

でも、**勉強だけでは人としての力、人間力の基盤は形成されません**。

私は医院経営者でもあり、多くの人を雇用しています。そのために多数の人と面接し、仕事ができるかどうかを、短時間で判断することを重ねてきていますが、学校でいい成績だったという人よりも、スポーツで頭角を現した、あるいはスポーツを一生懸命やっていたという人のほうが、仕事で成果をあげるケースが断然多いと気づくようになってきました。

もちろん、これは一つの傾向で、勉強がよくできる人の中にも、素晴らしいがんばりを見せる人もたくさんあるでしょう。

でも、スポーツでがんばった人のほうが勉強でも仕事でも、より成果が出やすい。私は自分の体験からそうした傾向を顕著に感じるのです。

スポーツ経験者がなぜ、後に大きな力を発揮するようになるのか。その理由は、スポーツは肉体だけでなく、精神的にも強固なものを求められるからでしょう。スポーツは勝ち負けや記録など、誰の目にもはっきりした結果が出るので、ごまかしも言い訳も絶対にききません。自分との戦いを通じて、本質的な人間性を鍛えていくからだと思います。

常に、自分自身の真の力を突き付けられる。才能不足、努力不足から目をそむけることも許されません。

そうした体験から、人生は自分の力で生きていくほかはないということを強く自覚させられます。

また、若いころに、勝者の感情や達成したという限りない満足感を味わった人には、勝つことの喜びや勝ちグセが刻み込まれています。何事においても、絶対に勝ちたいと強く思う。だから、仕事においても勝つ方法を選ぶのです。負けないためのリスクヘッジをする習慣も身についています。

大阪に、建築塗装やリフォームを手がけるある企業があります。大阪の一等地に自社ビルを構えるこの企業の創業者は元ボクサー。チャンピオンをかけた試合の直前に体を壊し、引退を余儀なくされ、ペンキ屋の見習いからスタート。最終学歴は中学卒でした。20代に入ってすぐに起業し、いまでは東京にもネットワークを広げる大企業になっています。著書によると、若いころ、それは苦しい目に何度もあいますが、ボクシングをやっていたときのことを思えば、どんなことにもくじけないぞという強い気持ちをもてたそうです。この創業者は会社の基盤がしっかりしてくると大検を受検して大学に入学し、関西の名門大学をきっちり卒業されています。大学生のときは、お子さんと同学年だったそうです。

やはり、猛烈なまでの勉強好きなのです。若いときにボクシングで身につけた勝ちグセはこの方の一生の財産になり、いまもこの方の人生を前進させる大きなパワーになっているのです。

自分は若いときにスポーツに熱中した体験をしていないからもうダメか、と考える必要はありません。勝ちグセはいまからでも十分身につけられます。

スキーでもゴルフでも、将棋でもゲームでも、とにかく、これに関しては人には負けないというものを何か一つもつようにしましょう。

勉強をはじめるならば、最初はランクを少し落としてでも、成績が上位である喜び、勝つ喜びを心ゆくまで味わうとよいと思います。その喜びが次に進む力を引き出してくれるからです。

それほど高くない山でも頂上に立ったときの快感は大きなものがあります。こうした快感を重ねていって、勝ちグセを身につける。これが大事なのです。そうすれば学びでも勝ちグセを発揮し、必ず、成果を手にできるようになっていきます。

勝ちグセを身につける

安住は衰退の第一歩、常に成長

私は現状に満足したことがありません。いつも、もっともっとと前進していくことを願っていて、そのためにも、人に負けないといい切れるだけの努力と投資をつづけています。そんな私を見て、「どこまで欲張りなのだろう」と批評する人もあるかもしれません。

私の現在は申し分なく満たされています。これ以上、さらに向上をめざすなんて満足することを知らない欲望の塊のようだ、とみなす人もあるかもしれません。

しかし、現状に満足することと、より前進を求める気持ちはこれぽっちも矛盾するものではないのです。

私は、現状に安住する気はさらさらありません。いまより明日が、明日より明後日がもっとよくなっていてほしい。そう願う強い気持ちがあり、実際、そのために誰にも負けないくらいの努力をしているという自負ももっています。

なぜ、そうするのか。

日々に安住していては成長はできないからです。

企業では毎年、経営計画を立てますが、どんなに不況でも、困難な経営環境にあっても、前年度よりもプラスαを目標に掲げます。「もう十分儲かっているから、今年並みでいい」というような企業があったら、間違いなく、その会社はいつか潰れます。株をもっているなら、いますぐ手放したほうがいいとおすすめしたいくらいです。

なぜ、現状維持では衰退に向かってしまうのか。理由は明快です。現実はかたときも停止することがないからです。ものごとはすべてラセンを描きながら進展しているので、意識的に向上をめざしていないと、自分では現状維持だと思っていても、気がついたときには取り返しがつかないくらい下がってきてしまっていたりするのです。

ある程度の収穫を得たと自負している私ですが、いまもセミナー参加などに年間多くの時間を割いているのは、企業でいえば、前年比アップを目標に掲げているのと同じです。

新年や誕生日ごとに、去年の自分よりどれだけ成長できたかをセルフチェックすることを習慣づけましょう。

年収1億円を引き寄せるには

52 常に前進をめざす

〝つん読〟でもいいから本を買う

自分一人の知恵や知識ではタカが知れていますが、読書や講演ＤＶＤにより他の人の知識や考え方を自分のものとして取り入れることができるのですから、本当にありがたいことだと思います。

読書は充実した人間をつくり、書くことは正確な人間をつくる

フランシス・ベーコン（イギリスの哲学者・１５６１～１６２６）

私は読書量もはんぱではなく、よいと思った本は読む時間があるかどうかにかかわらず、すぐにその場で買ってしまいます。本でもＤＶＤでも一期一会。出会いの瞬間を逃

してしまうと、あとで書店に行っても、すでに店頭から消えていることが多く、また、そのまま購入するのを忘れてしまったりすることが少なくないからです。

人との出会いと同様、本やセミナー、イベントなども、出会ったときが出会うべき最高のタイミングなのです。その機を絶対に逃さないこと。しばらく、読む時間が取れず、"つん読"になってしまったとしても、手に入れた本はその瞬間から、潜在的な力になります。

53 本は自分をつくる細胞になる

運命学を勉強しているころのことです。ある本で、日本で人間科学の研究をしていた長谷川博一先生の存在を知りました。ところがその方が書かれた本はすでに絶版になっていて、どこを調べても売っていない。そこで、著者の方の連絡先を調べてコンタクトしたところ、すでに故人になっておられるとわかりました。私はそれでもあきらめず、奥様に連絡し、奥様からご著書のすべてを譲っていただきました。

そうした本の1ページ1ページが細胞のようになって、私のいまが形成されているのだと感じています。

『ＴＯＰＰＯＩＮＴ』を活用する

２０１０年の１年間に出版された新刊本は７４０００冊を超えるそうです。毎日、２００冊あまりの新しい本が次々店頭に並ぶのです。

私自身も毎年、数冊もの本を出しているので、書店にはよく足を運びますが、なかなかすみずみまでは回れません。

そうした中から、どうやって自分に必要な本、読みたい本を探りあてるか。私自身が１冊の本との出会いで自己啓発系の学びに導かれ、それを機に思いが変わり、人生に対する姿勢が大きく変わったように、本との出会いはときに人生を一変させてしまいます。

良書との出会いをどのようにしてつくるかは、学びにとってとても大きな課題です。

最近は、「できるだけたくさんの本にふれたい。それも時間をかけないで」という矛盾した思いを叶えてくれるシステムがあります。

『ＴＯＰＰＯＩＮＴ』もその一つ。『ＴＯＰＰＯＩＮＴ』は毎月数多く出版される新刊

書の中から一読の価値がある本を紹介している本のガイドブックで、１９８７年の創刊以来、この雑誌を手がかりに良書と出会い、効率のよい読書習慣を確立している人はかなりの数にのぼると聞きます。私ももう10年以上、『ＴＯＰＰＯＩＮＴ』を愛読しています。

取り上げる本はビジネス書、ノンフィクションが中心で、中でもビジネス書のウエイトが高いようです。毎月、１００冊前後の新刊書を熟読し、その中から新しい発想やアイディアが光る本など10冊を厳選。その10冊の内容が４ページ分に凝縮されて掲載されています。それを読めば、その本のコンセプトをだいたい把握することができますし、ピンとくるものがあれば、実際に買い求めて読めばいいわけです。

年収１億円を引き寄せるには

54

あらゆる手段で学びを効率化する

勉強の効率をアップさせる仕組みはどんどん取り入れる。

私が、忙しい中でかなりの本を読破できるのは、学びを効率化し、スキルアップも図ってきた結果です。

いつも読むべき本を持参する

学びに使った本や、これまでに読んでよかった、勉強になる、ためになると思った本は必ず、手元に置いておきます。だから、本やＤＶＤを置くスペースがすぐに足りなくなってしまいます。かなり広い院長室の壁一面が作り付けの本棚になっているのですが、すでにそこには収納しきれなくなり、床に積み上げていったところ、歩くスペースもなくなってしまいました。そこで、あらためて別のところに書庫を増築。本と追いつ追われつ、を繰り返しています。

エンターテインメントの本は別ですが、学びの本は自分の人生の一部です。できるだけ、いつも身近に置いておくべきです。別の勉強をしているときでも、「あ、以前、読んだあの本に出ていたあれと同じだ」などと思ったら、すぐに前に読んだ本を取り出して読み返す。こうして重層的に学ぶことができるからです。

その結果、学びを2倍、3倍に強化できます。

ちなみに、私は雑誌などのインタビューはたいてい、院長室の書棚の前で受けることにしています。**書棚はイコール私自身。私が選び、読んできた本はいまや私自身となっている**と考えているので、写真の背景から蔵書の内容などをお伝えできれば、と思うからです。

55 移動時間は最高の読書時間

出かけるときは最低でも3冊以上の本をもって出かけます。〝つん読〟にしてある本や、以前読んだ本が出番となるチャンスです。

移動時間は忙しい人にとって、最高の読書時間です。スポーツ新聞や週刊誌を広げたり、ケータイでニュースを見たり、ゲームをしたりして時間を過ごす人も多いでしょうが、それはあまりにももったいないないと思います。

私もスポーツ新聞や週刊誌を買って目を通すこともありますが、せいぜい10分もあれば十分。あとは持参の本を取り出します。ときには飛行機が遅れるなど予想以上の待ち時間があることもありますが、カバンに本が入ってさえいれば、待ち時間さえ「ラッキー！」となるのです。このポジティブさは潜在意識の働きを強化する力となります。

いざというとき、教養の底力が出る

「これでしばらく安泰だと思うよ」と一人がいうと、すかさず「バーナムの森が動くまでは、ね」と他の者が返す。学会の後、ある大学の総長の座をめぐるよもやま話をしていたときのことです。

バーナムの森とは、シェイクスピアの『マクベス』に出てくる有名なシーン。欧米の医師や技術者は幅広い教養を身につけている人が多く、話と話の間にそうした教養がごく自然ににじみ出てくることにはしばしば感嘆してしまいます。

最近、**「教養は武器である」**という言葉をよく耳にします。

一流の人材といわれる人は、専門的な知識やスキルだけでなく、幅広い教養を身につけており、その教養が専門的な知識やスキルをさらに磨きあげ、本物の光を放つようになるのです。そんなアグレッシブな表現をもち出すまでもなく、文化的な知識や体験を広く身につけている人は何より人間として魅力的です。絵画や音楽、演劇などはもとより、人間性の探究の精神を昇華させたもの。それらに通じているということは、それだ

け人間を深く理解し、深く感じる感性豊かな日々を送っている証です。

海外のコンサートホールは正装で出かけることがマナーになっており、昼間はかっちりとしたスーツ姿のキャリアウーマンもみごとなレディと化して出かけます。エスコートする男性も非の打ちどころのないジェントルマンぶり。インターバルではシャンパングラスを重ね、シェイクスピアの台詞や有名なオペラのアリアの一節などがさりげなく挿入される。

そういう世界を日常的に生活の一部としている人と、スキルアップだけに追われてきた人とでは、人間的に大きな差ができてしまうのは当然すぎる話です。

素晴らしい絵画や音楽、本にふれずに、漠然と日を過ごしてはいけない

ヨハン・ゲーテ（ドイツの文学者・1749〜1832）

物理学やＩＴなど、鋭い頭のよさが求められる領域でも、教養の深いことが研究成果

を高めるうえで大きな力をもつと聞きます。

アインシュタインはヴァイオリンの名手で、旅行にも必ずヴァイオリンを携えていき、歓迎会の席ではよくヴァイオリンの演奏を披露していたそうです。物理学を研究するときも、〝よく、音楽で考える〟といっています。

アインシュタインにとって仕事と音楽は補完し合う関係にあり、音楽で感情が揺さぶられることが引き金になり、物理学の発想が自由にはばたくこともしばしばあったと伝えられます。

私はいままで多くの勉強をしてきました。しかし、本を読んだり、セミナーに参加するだけでは本当の意味の勉強だとはいえないと最近しみじみ思い知らされます。

もっと芸術や文化に触れ、人間性を感知するセンスを重ねあわせ、全人格というより、私という全存在を高めていったとき、学びははじめて本当の価値を放つのです。

数年前から、学会などで海外に出かけた折には、できるだけ美術館やコンサートホールに足を運ぶ時間をつくるようにして、教養を積む努力も怠らないようにしています。

自分を律して誘惑に勝つ

20代、30代、40代……。大人の学びをつづけてきた結果、どこまで進化できたか。

私は、たとえば、英検の2級を取った。次は1級に挑戦しようというようなステップアップを、進化だとも成長だとも思いません。

もちろん、こうした学びを否定する気持ちは毛頭ありません。3級を取得。次は2級をめざし、その次は1級に挑戦する。こうした段階を踏んでいくことは人に成長の喜びを植え付け、努力することの価値を教えていくものです。

しかし、努力の本当の成果は、努力することを通して、自分を制御することを身につけていくことではないでしょうか。

人生はあまりにも誘惑に満ちています。寒い朝ならば、ベッドから起き上がるためだけでも、自分との戦いに勝たなければなりません。

誘惑は仕事中にも容赦なく襲ってきます。そんなとき、誘惑に心揺れる自分をどう制御し、自分で自分に恥じない仕事をやり通すか。夜ともなれば、誘惑はさらにグレードアップするでしょう。

そうしたことに次々と打ち勝って、本来、めざすものに向かって進んでいく。勝利はこうした内面との葛藤に打ち勝った者のみに与えられるのです。

征服すべきは山の頂上ではなく、自分自身だ

エドモンド・ヒラリー（人類初のエベレスト登頂を成し遂げたニュージーランドの登山家・1919〜2008）

自己をいかにコントロールするか。その方法を手に入れた者の前に、望む結果、たとえば高収入を手に入れる道が開かれていくのです。

年収1億円を引き寄せるには

57

自分を律することが目的達成を可能にする

微差が大差を生む

男子100メートル走の世界記録は現在9秒58。ジャマイカのウサイン・ボルト選手が2009年8月16日に樹立したものです。

人類が100メートルを10秒以下で走ることは〝絶対に不可能〟に近い、達成困難とされてきた課題でした。しかし、1968年、アメリカのジム・ハインズ選手はメキシコオリンピックで9秒95で疾走し、金メダルに輝き、(現在、この記録は高地記録として認定されている)不可能の壁を突き崩しました。

スポーツ選手の記録の推移をみると、わずか0・01秒記録を縮めるにも、想像を絶するトレーニングと時間を要することがわかります。

これはスポーツだけに限定されることではないと思います。

学びの成果も、まさに微差を追っていくことにより、達成されるのです。

一見、小さなことに
全力で取り組むことを忘れるな
小さなことを一つやり遂げるたびに
人間は成長する
小さなことをきちんとこなしていけば
大きいことは後からついてくる

デール・カーネギー（アメリカの自己啓発家・1888〜1955）

毎日、テキストの1ページでもいいから、必ず学ぶことを習慣づけることが大切です。
時間があるときは10ページ、20ページと学んでいくようにします。

人は習慣の動物です。毎日、怠らずに学びつづけることで、大きな学びが達成されていくのです。

毎日1ページでも学ぶ。これはスポーツ選手がどんな日にも練習を欠かさない習慣と重なるものです。

アスリートは1日練習を休むと、休んだために低下した運動能力を取り戻すには3日かかるそうです。微差が大差につながるという事実は逆の場合にもあてはまります。

年収1億円を引き寄せるには

58 学びも1日も休まずに

本気で行動する

学びはあくまでも個人的なもので、勉強している、していると、自分から言ってまわるようなものではありません。

といっても、自己満足で完結してはいけないとも考えています。自己満足だけで終わってしまうなら、学びの意味はゼロだといってもよいくらいです。

学んだ結果はどんどん行動化すべきです。

人は動物。動いてナンボ、行動してはじめて価値を生み出すことができるのです。

本当の学びであれば、その成果がある程度蓄積してくると、エネルギーチャージが充満したときのように、行動化のスイッチが入ります。問題はこの先。たとえ、自分の本業の領域以外だとしても本気で行動すべきです。

いかなる場合も、評価は行動の結果に対して与えられるものです。行動もしないで、評価されない、お金がついてこないといっている人が多すぎます。

ＩＴ技術者が自己啓発を学んだ場合を考えてみましょう。自己啓発を学んだ後はモチベーションの高め方が違ってくるので、たとえばＰＣソフトの開発をする場合も、取り組む姿勢がまるで変わってくるはずです。

与えられた仕事に自然に感謝できるようになる。仕事の相手に対する姿勢やコミュニケーションにも、感謝がにじみ出るようになるのです。

これも行動化の効果の一端といえます。

行動が変わると、当然、相手のリアクションも変わってきます。

チームメイトやライバル間で行動化が起こると、相互に働き合い、お互いのエネルギーレベルが引き上げられていくのです。

その結果、心の豊かさがかもし出されていきます。この豊かさ感が潜在意識に眠っている富の源泉を動かす。こうして、必要なものが必要なだけ手に入る、最高に豊かな状態が実現されるのです。

年収１億円を引き寄せるには

59 常に本気。本気で行動する

あきらめる口実を探さない

「やろうと思っていたところに、急な出張予定が入ってしまって」

「したい気持ちはヤマヤマなのだがサイフが許さない」

こんなことをブツブツいっている間は人生は絶対に好転しません。そうしたい。やろう。そう思うならば、何がなんでも貫きましょう。絶対に貫けます。

あれこれ口実を口にする人は、しょせん、その程度のヤル気しかないということです。ハナからあきらめの気持ちが強く、あきらめることを自己肯定するために口実を探したのだといわれても反論の余地はありません。

だめだ。できない。ムリに決まっている。そう考えたその瞬間、絶対にあったはずの開路が閉ざされてしまうのです。**口実探しは、自ら可能性を閉ざしてしまうだけ。自分への最大の裏切りだというべきでしょう。**

あるとき、ベトナムに行く予定があり、帯広から羽田に向かい、そこから成田経由でホーチミン・シティに飛ぶ予定だったのです。ところが大型の台風の影響で羽田空港に

は着陸できないことになり、降りたところは名古屋国際空港。空港のテレビで想像以上の災害が起きていることを知り、多少の不安を覚えました。普通なら、ベトナム行きはあきらめる方もいるかもしれません。でも、私はあきらめるという選択肢はチラとも浮かべませんでした。

人間は習慣の動物です。いったんあきらめてしまうと、次からもあきらめることが平気になってしまうからです。

結局、名古屋空港で5時間待機。旅行社と何回も電話でやりとりした結果、翌日に十勝帯広空港から成田に飛び、成田でさらに3時間待って、ようやくベトナムに向かって飛び立ったのです。

私は、どんな場合でもあきらめないと決めています。必ず、何らかの方法があるはずだと考えてみるのです。

人生はどんな場合にも、可能性が残されているはずです。打開の道はそこから開かれていくのです。

60 「あきらめない」を習慣にする

生まれもった運命を知る

どんな学びも最終的に行き着くのは「人間を知ること」「人間を理解すること」です。経営の神様とあがめられる松下幸之助さんは、モノをつくる前に人をつくることが大切だという考えの持ち主でした。

「人間は磨けば輝くダイヤモンドの原石である」という人生観をもっておられ、どんな人にも光る部分がある。その部分を磨いていくんや、が口グセ。その光る部分を探すときには、運命観をしてその人の運命を生かすようにしていたそうです。

それを知り、私も「運命学」を学ぼうという気持ちになり、通信教育からはじめて、今日まで、さまざまな運命学を勉強しました。

私の勉強法の特徴は、**「とにかく本気になって勉強する」**ことに尽きます。あるテーマに絞り込み、その時期はそのテーマに関して徹底的に勉強します。これまで、個性学、素質論、サイグラム……いろんな人間分析学を学びました。

ここまで徹底的に学べば、そこから必ず、成果につながる道が見えてきます。勉強してもモノにならないという人が多いのは、モノにならないような学びしかしていないからです。

もともと、学ぶことが好きなうえに、少し学ぶと運命学の深さがわかってきて、その深さにどんどん引きずり込まれていったのです。

夜遅く院長室の机に向かい、「四柱推命」の運命表にあてはめて友人や知人、それぞれの運命を見ていると、運命表に示されていることはその人のこれまでとぴったり符合します。それが、興奮するほど面白くてなりませんでした。その後、さらに学び、「運命学師範」の資格も取得しました。

それからは、ビジネスパートナーなど人に働きかけるときには、その人の運命を知り、運命に合う方法でアプローチするようにしています。

人は、生まれ落ちる環境を選ぶことはできません。生まれ落ちたところから人生がスタートする以上、運命に大きく影響されることは免れられません。運命学から未来予知をし、それを生かしながら人材育成や仕事の取り組みを考えていくと、その人に合ったやり方が見えてくるのです。自分の将来計画を描くときも、運命学から割り出した未来予知はすごく参考になります。

成功を望む人の多くはマネジメントやコミュニケーションを学びます。でも、それだけでは人は動きません。人が動かない限り、成果はゼロなのです。

とことん徹底的に、人間理解について学ぶ。成功者の人生を歩みたいなら、ここまで学びきることが求められる、と私は考えています。

運命学を学び、さらに溝口メンタルセラピストスクールでバイオリズムを学び、数少ないメンタルセラピストとして認められました。

その後、私は分析学をベースに、『患者様をファンにする最強のコミュニケーション』（クインテッセンス出版）という本にまとめて出版しています。

これは後にもふれますが、どんな学びも最終的にはアウトプットすることが大事です。アウトプットすることにより、その学びははじめて人に役立つものになり、お金につながっていくのです。

そのうえで運命をつくっていく

運命学を学んだ結果、意外に聞こえるかもしれませんが、「運命は自分でつくるもの」だということも会得しました。

人は生まれたときに、運命的な性格や強み、弱みなどを与えられます。しかし、それらは不変ではなく、可変なのです。一卵性双生児がまったく同じ人生をたどることがないのは、その事実をよく物語っているといえるでしょう。

その後、与えられたものを意識によって拡大したり、成長させていく。あるいは抑圧してしまう。その結果、その人だけの運命がつくられていくわけです。

人生は毎日の生活の積み重ねです。生活は習慣からつくられることが多いのですが、その習慣は性格に起因してつくられることがほとんどです。誤った生活習慣をつづけていると生活習慣病になってしまうように、誤った生活習慣は人生をゆがめてしまいます。

このゆがみが、運が悪い人の運命なのです。

運命をよい方向に向かわせ、パワーアップするのはそれほどむずかしいことではありません。夢や目標のベクトルを自分中心から他者に役立つこと、社会に貢献することに切り替える。このシフトができれば運命は好転し、その後の運命はさらに上昇気流にのっていきます。

夢や目標をもっていないのは言語道断です。草食系男子の中には家族のしあわせが人生の目標だといってのける人もいます。家族が大事だということは夢ではなく、人としての当たり前の姿です。そこをベースに社会に向かってエネルギーを発していく。それが運命をつくるエネルギーになるのです。

社会に貢献するといっても、カーネギーやロックフェラーがしてきたような大規模な社会事業を思い浮かべる必要はありません。自分がいましている仕事、いま、できることと、それが社会ときちんとリンクしていれば、それが自分にとっての社会貢献なのです。

大事なのは、社会に向けて生きているという意識をしっかりともつことです。

62 運命は自分で変えていく

地球儀サイズで発想する

常に世界感覚で発想し、行動すること。現在ではそれが常識となりつつあります。医療の世界でもメディカルツーリズムが当たり前のものになり、北海道の私の医院にも、アメリカをはじめ、海外から患者さんが来られる時代です。

私自身も歯科技術の勉強はもちろん、能力開発の分野の学びのためにも、国内、海外の区別はつけていません。よいと思ったものには、世界のどこであろうと参加する。それだけの話です。

語学力があれば申し分ありませんが、語学ができないとしても、いまは、ちょっとした会場には翻訳機能がついていますし、そうでないなら、通訳を頼めばいいだけの話。学ぶ気持ちさえあればちゃんと理解できます。

世界感覚を養うために、私は、視界の範囲内に地球儀を置いています。

地球儀を見ると、世界は本当に広いことに驚きます。

時々、自分の日々の行動半径を地球儀に反映させてみましょう。かなり国際的に動いている人でも、たいていはわずか数センチほどであることに愕然とします。自分はこの数センチ内でしか生きていけないのだろうか。そう考えると少しさびしくなりませんか。

地球儀を見ながら、この数センチを数十センチ、いや、それ以上に広げていこうと考えられるかどうか。狭い世界で生きるだけではもったいないと思えるかどうか。それしだいで、仕事のスケールは大きく違ってくるでしょう。

この部屋、この街、この地域、この国……。その中だけで人生が終わってしまうのはあまりにもったいないと思います。

小さな価値観にしばられていないで、どんどん自分の世界を広げていきましょう。

いまや、地球儀サイズでも小さすぎるかもしれません。宇宙ステーションで仕事をしている自分をイメージすると、本当にいつか必ず、そんな日がくると思えてきます。

63 自分の世界をもっと広げる

第6章

1億円プレイヤーになる それは、明日かもしれない

1日1日、豊かさに近づいていく

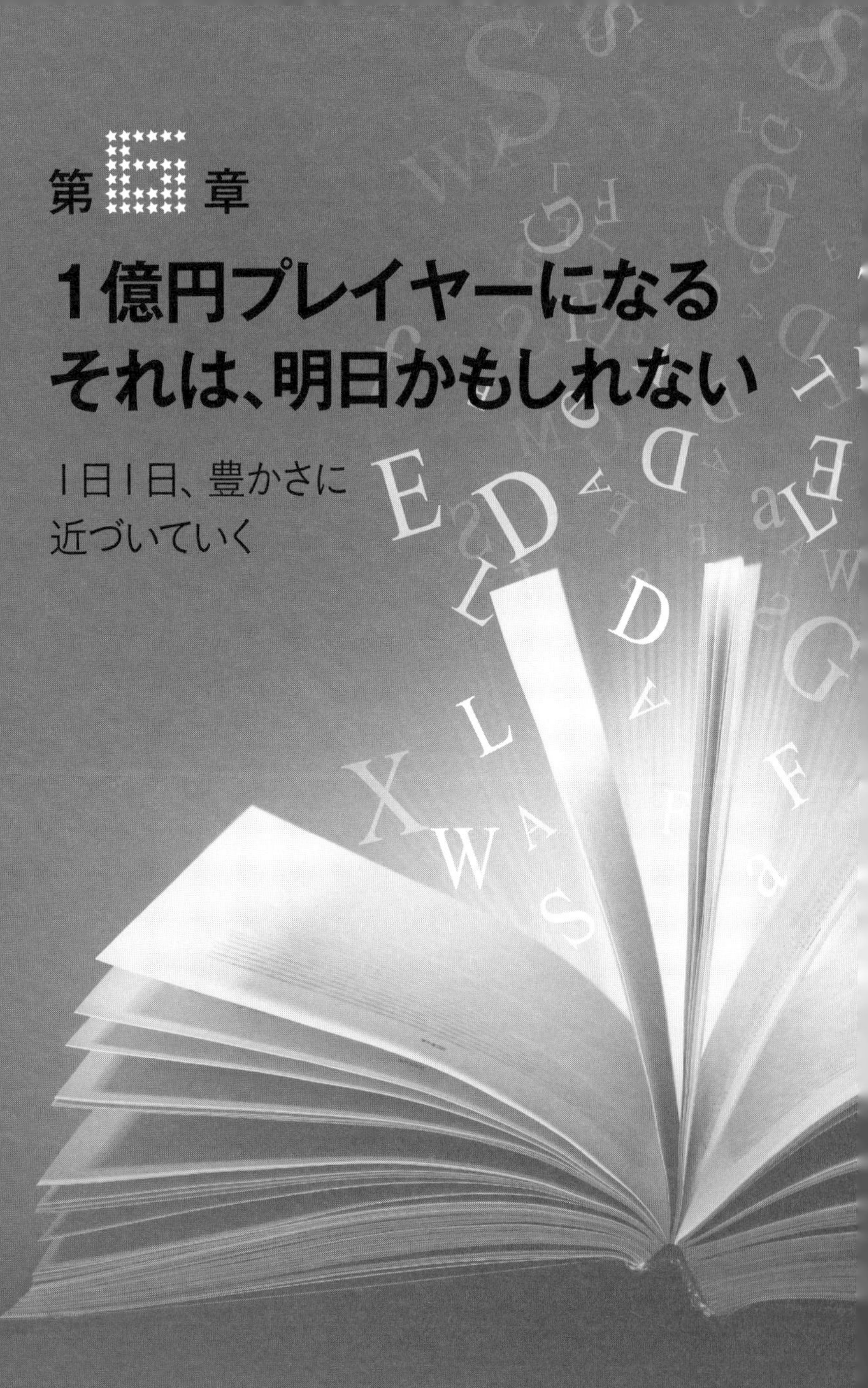

自分をレアメタル化していく

世界の市場で奪い合いが演じられているもの。いまや、その王座はレアメタルにとって変わられようとしています（なお、rare metal は和製英語。英語では minor metal）。

レアメタルとは産業で活用されている非鉄金属のうち、埋蔵量がごく限られているもの、たとえばリチウム、ベリリウム、バナジウム、セレンなどがあげられます。

どの世界でも圧倒的な力量をもつものには高い評価が寄せられ、当然、手にするものも大きくなります。でも、圧倒的な力の持ち主への道はけわしく、細い。イチロー選手や石川遼選手は、何年に一人しか出現しないのです。

そこまでの力をもつ自信も才能もないならば、自分をレアメタル化する道があります。希少な存在になることはけっしてむずかしいことではありません。

私は歯科医として技術を磨く一方、いつ患者さんが訪れても、歯の痛みや具合の悪いことが少しでも癒されるように、温かで居心地のよい雰囲気の医院づくりに努めています。そのいずれも相当高いレベルで実現しているという自信をもっていますが、日本中を見わたせば、私の医院と肩を並べるレベルの歯科医院はほかにもまだあるでしょう。

でも、私は歯学博士であると同時に経営学の博士号も取得しています。この２つを一人であわせもっている人となるとぐっと少数になる。**希少化、つまり、この２つをあわせもつことで私は自分を〝レアメタル化〟し、バリューアップを実現したのです。**

同じように、いのうえ歯科医院も〝レアメタル化〟に成功しました。ＩＳＯ　９００１、ＩＳＯ　１４００１の認証を受けたからです。歯科医院でＩＳＯ　９００１、ＩＳＯ　１４００１の認証を取得しているのは、おそらく日本では、かなり少ないでしょう。世界に視野を広げてもほとんど例はないと思います。

現在、国内外から北海道の帯広まで足を運んでも、いのうえ歯科医院で治療を受けたいという患者さんが増えているのは、この希少価値があるからなのです。

個人においても同じことがいえるはずです。専門分野のスキルを磨くことは、ちょっと向上心のある人ならば、誰でも思いつきます。そこに語学力をプラスする。さらに自己啓発系の学びもする。こうして二重、三重に網の目を重ねていく。そこをクリアしていくたびに〝レアメタル〟化は進んでいき、高い価値をもつ存在になっていきます。

現代経営学の父とあがめられるピーター・ドラッカーもさまざまな領域の「学び」を重ねて、自分を〝レアメタル化〟した人だったといえます。ドラッカーが大学で学んだのは法学でした。しかし、ドラッカーは常に学びつづけ、その学びの範囲は歴史、美術、宗教……とどまることなく広がっていったのです。

それらの学びを重ねるたびにドラッカーの思考は他者を寄せ付けないほど磨かれ、冴えていき、ついには、それまで誰も切り開いたことがない「未来学」や「社会生態学」という領域を究めていったのです。

人の思考や行動特長、過去から現代までの膨大な歴史を知れば、経営を貫く原理・原則も見えてきます。ドラッカーはこうして、現代最高の経営学者として、世界中の尊敬と信頼を一身に集める存在になったのです。ドラッカーの場合はレアを超え、まさしくオンリーワンになったといえるでしょう。

ドラッカーの学びつづける姿勢は終生、衰えることがなかったそうです。

ドラッカーは95歳という長寿をまっとうしますが、95歳になっても毎年テーマを決め

64 ナレッジワーカーの道を進め

て集中的に学びつづけていたと伝えられます。90代になってからシェイクスピアの全集をすべて読み直し、死の前年の２００４年には明王朝時代の中国美術について勉強をはじめていたそうです。

最晩年まで引退という言葉を念頭に浮かべることなく、執筆や講演にも意欲的に取り組んでいました。

ドラッカーは企業のマネジメントに関する考察や実際的な助言を与えたことなどで世界的な名声を得ますが、個人の成長についても鋭い視線を向けていました。ドラッカーは「自分の強みを強化することで自己変革を遂げること。常に成長軌道を描く人間」を、ドラッカーのネーミングによれば、ナレッジワーカーをめざさなければならないというメッセージも放っています。

ごく平凡な人間でも、多層的、多角的に学びを重ねることで、希少価値のあるナレッジワーカーになれるはずです。

大きな勇気と希望がわいてきませんか。

「ありたい姿」を絶えず語る

1年後、3年後、あるいは5年後にどんな自分になっていたいのか。機会があるたびに、それを熱く語る人。そんな人は1年後、2年後……には必ず、そういう人になっています。

自分はどういう自分になることを願っているのか。どういう人物をめざしているのか。それを絶えず、語りつづけることが大事です。

語った言葉は何よりも先に、自分の潜在意識に思いを浸透させます。「ウソも100回いえば真実になる」のです。

エジソン、アインシュタインにはじまって、最近ではビル・ゲイツやスティーブ・ジョブズと、歴史を変えてしまうような革命的な発明がアメリカ発であることは大きな示唆を含んでいます。

日本ではまだ、実現してもいないことを口にするとインチキ呼ばわりされてしまうのに対して、アメリカでは、「まだ、実現してもいないことを宣言している。よほどたしかな自信があるのだろう」とプラスに解釈する風潮があるのです。

明るくポジティブな社会風土もあるでしょう。もっと大きな差は彼らが夢を語るときの口調にあります。

「もし、できれば……」「そうなれたらいいのだけれど……」「厚かましい望みですが…」

謙譲の美徳というのでしょうか。日本人はこんな表現をよく使います。

一方、アメリカ人は、夢というより、自己への確信を口にする。常に「I will……」「自分はこうなります」と宣言するようにいうのです。

こういい切ると自信が生まれ、いい切るたびに自信が強化されていき、ついには絶対的な確信へと昇華します。

その絶対的な自信はまわりの人々を動かし、潜在意識も働くようになり、夢は確実に現実のものになっていきます。

積極的にカミングアウトする

日本人の不思議な習性の一つに、「陰でこっそり努力する」ことがあります。

会社の帰りに資格取得の学校に行っているとしましょう。付き合いを断ることが多くなり、毎週2～3日は定時退社している。そんな行動の変化にまわりが気づいて「このごろ、付き合い悪くない？」と聞いても、「いや、たまたまだよ。そんなことないよ」といってお茶を濁す。


自分は学びはじめたのだ。そのために定時で退社することが増えたのだ。ふだんもできるだけ学びの時間を確保したいのだと、なぜ堂々といわないのでしょう。会社の仕事に支障をきたすことがないならば、アフター・ファイブに何をしようと自由です。

組織に属しているといっても、基本は個です。規定の時間内は組織の一員としての制約は受けるでしょうが、それ以外の時間は自分の時間です。自分の選択に自信をもって、堂々とふるまうようにしましょう。

変わったヤツだと思われはしないか。足を引っ張られるのではないかなどと気をまわすくらいなら、ありのまま、「いま英検1級取得をめざして猛勉強中です」とか「病院管理士の勉強のためにスクールに通っています」と公表すればいいではないですか。


周囲がどんな反応を示そうと、やろうと決めたことを粛々とやっていけばいいのです。


世の中は味方１０００人、敵１０００人といいます。陰口をいったり、足を引っ張ろうとする人が１０００人いれば、心の中で、あるいは実際にエールを送ってくれる人も１０００人。それでいいのです。万人を味方につけようと思うほうが無理な話です。

その味方の１０００人のうち、ひょんな機会にあなたのことを思い出してくれることがあるかもしれません。

知人の奥さんは、韓流ドラマにはまったことから韓国語を学ぶようになりました。よくある話ですが、この奥さんは、韓国語を勉強していること、今日はこんなことを習った、こんな言葉を覚えたと、それは楽しそうによく周囲にしゃべっていました。

あるとき、ご主人の友だちで小さな旅行会社を経営している人から、新しく契約した韓国人のトラベルコーディネーターの奥さんが日本で友だちができなくてさびしがっている、韓国語ができる日本人の奥さんがいるといいのだが、という話が舞い込んだのです。

最初はそのコーディネーターの奥さんと週に1、2度、日本語・韓国語の交換授業をはじめ、いまでは日本で働く韓国人ビジネスマンの奥さんたちに日本語を教えるプロとなっています。1億円とはいかないようですが、収入も悪くはないようです。

66 秘密主義より公開主義

会社によっては、あるいはそのときの上司によっては、カミングアウトをすることをはばかられるケースもあるでしょう。そのあたりは、臨機応変の判断が求められるところですが、基本的には、勉強することを歓迎しないはずはないでしょう。少なくとも、私の医院では、学ぶスタッフには最大限の応援を惜しみません。

周囲に学んでいることをカミングアウトすると引っ込みがつかなくなり、途中でやめるとか、放り出すことができなくなり、モチベーションを維持できるという効能も期待できると思います。

学んだ結果をシェアする

「学び」によって得たものは何物にも替えがたい宝物です。

宝物を大事にする方法は2つあります。一つは誰の目にもさらさず、大事に秘匿すること。もう一つは多くの人に開示し、みなとその宝物を共有することです。

私は、後者の方法を選んでいます。

具体的にはブログ、フェイスブックを通じて、病院では私が直接、スタッフに話をするなどの方法で学んできたことのエッセンスを話しているのです。こうすることによって、私が学んだことは他の多くの人にもシェアされます。

学びや教養、心の豊かさなどは物理的な世界のものと次元が異なり、分かち合えば分かち合うほど拡大するという法則性をもっています。2人で分け合えばその価値は2倍になり、3人で分け合えばその価値は3倍になっていくのです。

投じた時間やお金は同じ。つまり、シェアすればするほど、学んだ時間価値、お金は割安になっていく。それに対して、学びの収穫はどんどん広がり、価値を増していくのですから、こんなに効率的なことはありません。

ブログやフェイスブックを通じてシェアしている人も数えると、何万人、何十万人となっていきます。その膨大な人数分、反響も大きく、やりがいは、はかりしれないといってもよいほど深まります。

けっしてそれを目的にブログやフェイスブックから発信しているわけではないのですが、最近はブログから人気が出て、出版されるというケースも少なくありません。

本になれば印税が入ります。最近は本は売れにくい時代だということも耳にしますが、反面、大型ベストセラーが生まれやすい環境になってきており、100万部を超えるビッグヒットになれば、たちまち1億円の夢が現実のものになります。

年収1億円を引き寄せるには

67

シェアすればするほど反響も拡大する

学びながら、どんどん教える

教えることは2度習うことになる

ジョセフ・ジュベール（フランスの哲学者・1754〜1824）

学んだことを本当に身につける最高の方法は、教えることです。

私の医院でも、スタッフが研修会に行ってくると、他のスタッフにそれを教えることをよくやっています。教える側に立つと、自分では理解できていたつもりのことが十分わかっていなかったと気づくことがあり、学びを徹底できるからです。

大きな組織なら、上司の許可を得て、社内で勉強会を開いてはいかがでしょうか。

アフターファイブに1時間ぐらい。フレックスタイムを導入しているなど仕事の終わりがはっきりしない場合は始業前の1時間、モーニングセミナーを開くのもおすすめです。

アメリカのエリートビジネスマンは日本以上にタフな日々を送っており、ランチタイムを互いの切磋琢磨の時間に使うパワーランチが盛んです。テーマを決めて、容赦のないディベートを行うことが多いようですが、それにヒントを得て、パワーランチセミナーを開くというのもアイディアです。

どんなプログラムなら人を集めやすいか。セミナーを開く会場はどこにするか。漠然と教えるといっても、こうしたことを一つひとつクリアしなければ、「教える」は成立しません。マン・ツー・マンで教える場合でもです。

忘れてはいけないのは、教える場合は受講費を徴収すること。お金をもらわないと愛好家どうしの勉強会のノリになり、真剣味に欠けてしまうからです。1回1000円でも徴収すれば責任感が芽生え、前もってレジュメや簡単なテキストなどをつくるようになり、いうまでもなく、それも勉強になります。

教えるときのポイントは、十分な質問時間をとっておくこと。受講生はとんでもないことを質問するものだというのが、セミナー講師をやるようになった私の実感です。

矢はあらゆる方向から飛んできます。逃げずにすべての矢をとらえて、一生懸命答えているとかなり消耗するものですが、思いもかけないことを質問され、それに答えることで自分が鍛えられていく実感があり、快感を覚えることがあるくらいです。

受講生の立場になると、私は相当の質問マニアのほうです。「しつこいなあ」と思われているかもしれません。でも、真剣に聞いていると、疑問点やたしかめておきたいことがどんどん出てきて、次から次へと質問したくなってしまうのです。

自分でいうのもなんですが、真剣に学ぶとはそういうことだと思います。

私はニューヨーク大学でインプラントプログラムの代表や海外2大学での客員講師をつとめています。海外の受講生と日本の受講生をくらべると、日本の受講生は概しておとなしい。はっきりいえば、質問が簡潔明瞭でなく、質問内容も主観的なものが多いように思いました。

国民性の違いもあるでしょうが、基本は「学び」に対する真剣度の違いではないでしょうか。

最近は生徒が先生の評価表をつける学校もあると聞きます。講座の後、先生と生徒が評価を交換しあったりすることも、いい刺激になりそうです。

したいことは口に出す

いま考えても、信じられないことが起こったのです。

数年前、コーチングを受けている岩元貴久さんとお話ししているとき、「井上さんは講師として講演するとしたら、どんな講師と一緒に講演したいですか?」と尋ねられたのです。岩元さんはセミナーの主催をしています。

このとき、ふっと頭に浮かんだのは船井幸雄先生でした。いうまでもなく、自己啓発の世界では日本一と尊敬を集めている方です。船井先生と一緒のステージに上がって講演できたら……。自己啓発セミナーの講師なら、誰でも夢み、そう願うでしょう。

私もそう思い、素直にそう口に出しました。

「船井先生とご一緒できたら最高ですね」

でも、この段階では、これから登山をはじめようとしているビギナーがヒマラヤ登山のメンバーに加わりたいというくらい現実離れした話。みな、そう思ったことでしょう。

何より、私自身がそういいながら、苦笑してしまっていたくらいです。

それから8か月後、岩元さん主催のセミナーでの私の講演デビューが決まりました。なんと、その日のメインスピーカーは船井幸雄先生ではありませんか！

雲の上におられるような先生と同じステージで、同じ講演会でお話しする。新人の講師がこんなデビューを飾ることはめったにない。いや、ありえないと誰からもいわれ、何よりも私自身が「ありえない。信じられない」と頭の中で繰り返していました。

「願いは、それが間違ったものでない限り、必ず叶う」という潜在意識の働きを知る私でも、にわかには信じられないようなことでした。

素直に願う。素直に口にすることがどんなにすごい力を放つかを、あらためてガツンと教えられた思いでした。

そう、私にとっては奇跡だったといっても過言ではありません。

いまの自分にとって、1億円を稼ぐことは奇跡のようにありえないと思えても、「1億円稼ぎたい」と、心の底から、ただ素直に思い、口に出してみましょう。

船井先生と講演をご一緒したことは実績となり、次のステップへと進むジャンピングボードにもなりました。その日から5年、いまでは私は頻繁に各地のセミナーを回って講師として忙しくしています。ご一緒する顔ぶれも、自己啓発系の分野でベストセラーを連発している方や、そのセミナーの受講生から多くのサクセス例を出している日本を代表する講師の方々ばかりです。

学びが積み重なり、自分の中である程度、成果として固まってきたならば、「……したい」と大らかに、そして素直に口に出してみましょう。たとえ、手が届かないような願いでも。

その願いは誰かの耳に留まり、その人を動かして、「……したい」という思いが現実に結実することがたしかにあるのです。

年収1億円を引き寄せるには

69 夢をどんどん語る

声がかかったら、イエスと即答する

熱心に学んでいれば、どんな課題でも、「学び」とお金を連動させる機会、もっといえば、「学び」をお金に変え、稼ぐ機会は考えている以上にたくさんあります。

たとえば、受講しているセミナーで「井上さん、次回の最終回、今回のセミナーのまとめで、みなの前でスピーチをしてください」と声をかけられたとしましょう。こうした場合、「いえ、私はちょっと……」といってはっきりしない態度をとる人は意外に多いものですが、これは非常にもったいないと思います。

私なら、こんなチャンスは絶対に逃しません。みなの前でスピーチするためにはセミナーをざっと振り返り、何が最も有意義だったか、何が印象的だったか、自分にとって最大の収穫は、セミナーの総復習をすることになります。

みなの前で話す機会も貴重です。私は、医院のスタッフミーティングなど、人前で話す機会はしょっちゅうありますが、一般的には社内会議のプレゼンなどがせいぜいでしょう。

同じセミナーを受講しても、受け止め方、理解のしかたは人それぞれです。たとえば「リンゴ」といったとき、果物屋の店頭に並ぶリンゴを思い浮かべる人もいれば、アップル社のリンゴのマークをイメージする人もいるかもしれない。そうした多様なイメージをくみ取りながら話を進めていく機会はありそうで、実際にはそうはないものなのです。

「誰か立候補者はいませんか？」といわれたならば、率先して手を挙げることをおすすめします。

私は超ポジティブ思考なので、講師がこういいだす前に手を挙げて、「来週は最終回ですね。セミナーの感想をちょっとスピーチさせていただいてもよろしいですか？」と名乗りを上げたことさえありました。

積極的に自己アピールする姿勢がなければ、誰もその人の存在に気づいてくれません。「学び」をお金と結びつける最初の一歩は、自分の存在をいかに魅力的にアピールするか、なのです。

声をかけられたら、グジグジしないで、明るい声で「やります」「やらせてください」と答えることです。中には、最初から「やります」と飛びつくよりも、一度くらい辞退し、それでもさらに請われたら「そこまでおっしゃるなら」と引き受けるほうが奥ゆかしいのではないかと思っている人もいるでしょう。

謙虚さや奥ゆかしさは、たしかに人として大事にしたい美徳の一つかもしれません。でも、仕事の世界では不要な美徳。仕事では積極性や自信があること、行動すべきときには行動を起こせる決断力や勇気のあることのほうがずっと重要度が高いのです。

とくに、最初の声がかりを断ることはせっかく開かれようとしたチャンスを自ら閉ざしてしまうのと同じです。誰だって断られていい気持ちはしません。だから、最初に断ってしまうと、相手の気持ちに水を差す結果になる。たまたま都合が悪かっただけだとしても、相手の気持ちはいっぺんで冷えてしまいます。

人の心はいったん冷えてしまうと、もう一度、熱さを取り戻すのは容易ではありません。まず、明るく、喜びのこもった声で「はい。喜んでさせていただきます」と応えましょう。

そこから新しい道が開けた例を私はいくつも知っています。

70 最初の機会は絶対にものにする

お金の磁石を手に入れる

現在、かなりの数の自己啓発系のセミナーの講演依頼をいただいています。

私に関する限り、こうしたいまのポジションは一歩一歩、勉強を進めてきてたどりついた一つの高みだと受け止めています。

もちろん、先はまだまだつづいています。でも、いまは現在のポジションに100％満足し、誇りももっています。

著作も相次いでベストセラー入りするようになり、自己啓発系の講師としても徐々にお金を得ることができるようになっています。

こうした講師の中には、月に1週間ほど講演をするだけで人も羨むような収入を確保している方もあるそうです。その方は残りの日々はハワイで過ごし、日に2、3時間執筆すると、あとはのんびりとダイビングを楽しんでおられるのだとか。

この方のように、**自分が思うとおりの生き方を実現し、そのことに深い満足を感じて**

いると潜在意識は最大限働くようになり、必要なもの、ほしいものはなんでも手に入るようになるのです。

経済的にいえば、お金を引き付ける磁場が形成されたのです。

私にも、徐々に磁場が形成されつつある実感が備わってきています。その実感は1回1回、ご依頼を受けた講演やセミナー講師としての機会に心から感謝して、誠心誠意こなす。その都度高まり、深まっていっています。

いままでに、目の前の機会をただの一度でも粗末にしたり、いい加減にしたことがない。どんなに疲れていても、多少、体調が悪いようなときでもです。

いうまでもないでしょうが、1億円プレイヤーというのは象徴的な表現です。自分にとってそうありたいという自分。そうありたいという経済状況。仕事の立場。自分も家族も豊かに過ごせる環境……。それらがすべて完全な形で満たされる。それがめざすべき1億円プレイヤーの姿です。

あなたは二極のどちらに属するか？

この本では、1億円プレイヤーに近づいていく生き方を、学びを中心にお話ししてきました。

私は、1億円プレイヤーとは、それぞれの領域の仕事に本気で取り組み、そのスキルもマインドも磨きあげられ、世の中のため、人に貢献することを最大の喜びとして生きている人だと考えています。

そういう人ならば、その評価として、必ず、相応の報酬を手にすることになると確信しています。

現在、世界の経済秩序は混乱し、豊かさの実態は大きく揺らいでいます。世界の経済をけん引していたはずの国々が相次いで未曾有の危機にさらされ、これがたしかだというものは何一つないといいたくなるほどです。

こうした事態を招いた最大の原因は、インターネットなどの出現でお金が実体を失い、数字をあやつるマネーゲームと化していってしまったことでしょう。金融の世界にＩＴが導入されてから、お金は際限なくふくらんでいき、利益も損失も実感をともなわないものになっていってしまったのです。しかし、実感の有無を問わず、お金にかかわるファクトはすべて現実にほかなりません。

日本の借金はついに１０００兆円を超えてしまいました。世界を見ても、これほどの借金大国はないという事実から目をそらしてはいけません。この借金は必ず返済しなければならないのです。子どもや孫の代になっても。

国際競争力の低下により、弱体化の一途をたどる日本の経済基盤。一方では、世界に例のないほど高速で進んでいく少子高齢化。ふくらむ一方の社会保障のコスト。国土は小さく、そのうえ地震が多く、台風の進路にもあたる災害列島です。原発事故の収拾には気が遠くなるほどの時間とお金を要するでしょう。

日本はかつてのように、国民の80％に「中流」の意識と暮らし、ほどほどの満足感を与えることはできなくなってしまったのです。

一握りの豊かな人々と、その他大勢の豊かさとは縁のない人々。いまや、日本人は、その2つの層にはっきりと分けられつつあります。二極化は今後さらに加速し、拡大の一途となるでしょう。

二極のどちらに属するか。あなたは選ぶことができるのです。

その選択のとき、求められるのが、学ぶという強い思いがあるかどうか。学んだ蓄積をもっているかどうかです。

これから長くつづくだろう厳しい時代。困難な時代とは人が選別される時代だといい替えることもできるでしょう。

今後、頼れるのは自分の力だけです。学びで自己を研鑽し、人間力を育てた人はどんな時代にも価値を失うことはありません。

厳しく、困難な時代にも夢は叶い、願いは実現できます。ただし、それを叶えることができるのは、学ぶ姿勢を失わない人だけに限られるはずです。

年収1億円を引き寄せるには

72 困難な時代だからこそ、学ぶ

思いは叶う。それは明日かもしれない

勉強の成果には、

①自分が望む自分像にどんどん近づいていかれること。

②人生が豊かになっていく実感が得られること。

③実際に収入が増え、物心ともに豊かな暮らしができるようになること。

などがあげられます。

この3つは同時進行でもたらされることもあれば、時差がある場合もあるでしょう。

でも、必ずもたらされる。これは疑いのない事実です。

私はこの20年以上、常に最大限のエネルギーを学びに注いできたといい切れます。

その結果、人生はどんどん豊かに感じられるようになり、自分が望む自分像も実現できています。収入も確実に上昇カーブを描いています。

現在の自分に不満も不足もありません。

でも、現在も、これからも、さらに学びつづけていく決意です。学ぶこと、たえず向上していくことは、私にとっては〝生きている〟ことと同義になっているのです。

現状に満足しきっているけれど、現状に定着したり、これでいいと甘んじるつもりはないのです。絶対的なまでの満足感の中からもさらに満たされたい、もっと輝きたいという思いが汲んでも尽きない泉のように湧きつづけてくるのです。

その源泉は無限の可能性をもつ潜在意識であることはいうまでもないでしょう。

学びの最大の成果は、こうして潜在意識を活用できるようになることだと私は考えています。

ひたすら学びつづけていれば、その思いは潜在意識に届き、学びの成果が現実的な形になって結実します。1億円プレイヤーになることが願いならば、1億円プレイヤーになる日は必ずやってきます。それは明日かもしれないのです。

いまの一瞬、一瞬をまっすぐ前を向いて、100%の力を使いきって進んでいきましょう。

幸福とは求めるものではなく、
与えられるもの
自己のためにすべきことをした人に対して、
天からこの世において
与えられるものである

森信三（哲学者・1896〜1992）

ここでいう幸福を1億円プレイヤーに置き換えれば、1億円プレイヤーへの道はおのずと見えてくるでしょう。

年収1億円を引き寄せるには

73 学びつづける限り、願いは必ず叶う

私にできないことはない。
すべてを実現できる力がある。

私には、必要なお金が、
必ず手に入ります。

素晴らしいことで満たされた
私の潜在意識は、
必ず私のすべての願望を叶える。

常に、今日が
最後の一日だとしたら
という気持ちで
決断と行動をする。

私の強い思いは、
時代すらも必ず引き寄せる。

私が活用しているパワーアファーメーション

私は、日々、
どんどんよくなっている。

人生はすべて学びだ。
学んで解決できない問題はない。

私は、夢を実現するだけの
時間、エネルギー、知恵、
お金をもっています。

私は強運である。
強運であるがゆえに、
運が落ちることがない。

私は常に本気で、
一切の妥協はしない。

Power Affirmations

私には、あふれるエネルギーと
熱意があります。

私は、常に感謝の気持ちを忘れません。

私は、必ず成功するための
選択と行動しかできません。

私の生き方は、
必ず多くの人に応援される。

私は、いつも自分にとって
最良のものを選択しています。

私が活用しているパワーアファーメーション

私には、よいことばかりが
引き寄せられています。

私は、コミュニケーションの達人です。

私は、宇宙の無限の豊かさを
引き寄せるエネルギーをもっています。

私には、忍耐力と持続力があります。

奇跡は私のまわりで、
どんどん起こっています。

Power Affirmations

私は、人にも
夢やしあわせを
与えるパワーがある。

神様は、私に無限と富と健康と
精神的豊かさを与えてくれる。

私のパワーは尽きることなく、
いつもあふれ出てきます。

私の人生を邪魔するものは
何もありません。

私はいつも最高の選択をします。

私が活用しているパワーアファーメーション

私は、失敗は成功の元だと知っているので、失敗を恐れません。

私はいつも最高レベルで自分自身を表現することができる。

私は成功するまでねばり強くやり、決してあきらめません。

私は、お金に困ることはありません。

Power Affirmations

【著者紹介】

井上　裕之（いのうえ・ひろゆき）

◉――歯学博士、経営学博士、コーチ、セラピスト、経営コンサルタント、医療法人社団いのうえ歯科医院理事長。

◉――島根大学医学部 臨床教授、東京歯科大学 非常勤講師、北海道医療大学 非常勤講師、ブカレスト大学医学部 客員講師、インディアナ大学歯学部 客員講師、ニューヨーク大学歯学部 インプラントプログラムリーダー、ICOI国際インプラント学会 Diplomate、日本コンサルタント協会 認定パートナーコンサルタント。

◉――1963年、北海道生まれ。東京歯科大学大学院修了。歯科医師として世界レベルの治療を提供するために、ニューヨーク大学をはじめ、海外で世界レベルの技術を取得。3万人以上のカウンセリング経験を生かした、患者との細やかな対話を重視する治療方針も国内外で広く支持されている。また、医療に関することだけでなく、世界中のさまざまな自己啓発、経営プログラムなどを学びつづける。現在はセミナー講師としても全国を飛び回り、会場は常に満員となり、2012年8月には日本青年館での講演を成功させる。

◉――著書としてのデビュー作である『自分で奇跡を起こす方法』（フォレスト出版）はまたたく間に10万部を突破し、話題になる。『30代でやるべきこと、やってはいけないこと』（フォレスト出版）は、シリーズ20万部を突破。他に『後悔しない人生を送るたった１つの方法』（中経出版）、『がんばり屋さんのための、心の整理術』（サンクチュアリ出版）もベストセラーに。

■ 井上裕之公式サイト　http://inouehiroyuki.com/
■ 井上裕之フェイスブックページ　http://www.facebook.com/Dr.inoue

編集協力　菅原佳子

「学《まな》び」を「お金《かね》」に変《か》える技術《ぎじゅつ》　〈検印廃止〉

2012年９月18日　第１刷発行
2012年11月19日　第４刷発行

著　者――井上　裕之©
発行者――斉藤　龍男
発行所――株式会社かんき出版
東京都千代田区麴町4-1-4西脇ビル　〒102-0083
電話　営業部：03(3262)8011㈹　編集部：03(3262)8012㈹
FAX　03(3234)4421　振替　00100-2-62304
http://www.kankidirect.com/

印刷所――シナノ書籍印刷株式会社

ISBN978-4-7612-6859-6 C0030